EL ARTE DE LA MODIFICACIÓN
TUNING
THE ART OF MODIFICATION

monsa

Santi Triviño

TUNING, El arte de la modificación. The art of modification.

Editor
Josep Maria Minguet

Design and layout, texts and photos
Santi Triviño
Equipo editorial Monsa

Traducciones / Translations
Babyl Traducciones

INSTITUTO MONSA DE EDICIONES, S.A.
Gravina 43
08930 Sant Adrià de Besòs
Barcelona
Tel. +34 93 381 00 50
Fax +34 93 381 00 93
monsa@monsa.com
www.monsa.com

ISBN 978-84-96823-51-8

DL: 11.483-2008

Impreso en / Printed in: Alva Graf, S.L.

Puede que mucha gente no entienda la mentalidad de un tuner, porque gastarse tanto dinero en un coche, el cual nunca será una inversión rentable, pero para los que es su pasión o su forma de vida o, para un servidor su profesión, es el mejor dinero invertido ya que es nuestra motivación de vivir, de levantarte por la mañana e ir al garaje para poder encender tú máquina modificada a tú gusto, de la que te sientes orgulloso por todos los dolores de cabeza que te ha conllevado hacerlo y una satisfacción muy profunda al ver que cuando paseas por una vía, los peatones se giran sorprendidos al ver pasar "*una obra de arte en movimiento*".

Solo deciros que creo que tenemos que disfrutar todos juntos y en familia de nuestra afición como si fuera el último día, ya que puede que seamos un porcentaje minoritario a nivel mundial pero que todos juntos somos muy grandes.
El nivel ha mejorado notablemente y tenemos que seguir asi, leyendo y culturizándonos de nuestras monturas para que salgan preparaciones reconocidas de alto nivel. Es un orgullo que se editen libros como este para que tengamos nuestro espacio en las librerías. Un saludo a todos.

Manel Rabasa
DUB STYLE LUXURY CARS

There are probably many people who don't quite understand the mentality of a tuner and in particular why they spend so much money on a car which will never be a profitable investment. However, for those for whom this is a passion or a way of life or, for an affiliate, someone for whom this is their profession, this is the best possible investment, our raison d'être, the reason to get out of bed of a morning and go to the garage and to be able to start up your own machine, tuned exactly to your liking. Something which makes you proud of all the headaches you've suffered whilst carrying out the work and, once on the road, the deep satisfaction felt on seeing pedestrians turn their heads in surprise at the sight of a "*a moving work of art*" as it passes bye.

All I can say is I believe this is something we should all enjoy to the full, together and with our families, as if every day were our last, percentage wise we might well be in a minority worldwide but put us all together and we are mighty.
There has been a notable improvement in standards and we must see to it this continues. Reading up and expanding our knowledge on tuning projects has proved to result in recognisably higher standards. Books like this are the result of a certain pride, so we too have our space on the shelves of the book shops. Salutations to all.

mirazar_tunning_club
7560 DRW
61 AR
444
ERE 107
TuNero

indice index

C4atreros.com
C4
B2822MS

INTROTUNING

La palabra tuning es de origen anglosajón y por su definición significa ajuste o entonación de componentes mecánicos y/o electrónicos en la ingeniería de un vehículo automotor.
Tunear o personalizar un vehículo, sea coche, moto, camión o lancha, és hoy en dia una industria creciente y una afición muy popular y extendida. Consiste en modificar tanto sus características mecánicas como su aspecto exterior para llegar a alcanzar un estilo único, afin al estilo de conducción o de su propietario. Por ese motivo se suele decir que no hay dos coches tuneados cien por cien iguales. En resumen, y para que resulte sencillo, podemos afirmar que:

Tuning = Personalización + originalidad

Las modificaciones las podemos encontrar en los siguientes apartados:

- Mecánica: Busca un mayor rendimiento para producir más potencia a altas revoluciones o mejorar la maniobrabilidad, etc.
- Aspecto exterior: Se cambian todas (o casi) las características aerodinámicas, rediseñando tanto los faldones, como los parachoques delanteros y traseros, se añaden alerones, entradas de aire, llantas de aleación, etc.
- Pintura: Colorear el coche con algún color que no se ofrezca en el concesionario, ponerle un color que comercializa otra marca en otro modelo, una pintura especial, ya sea mate, cromada, iridiscente, camaleónica, bicolor, tricolor, milcolor... y a todo esto añadir dibujos aerografiados, vinilos, pegatinas, incluso se suelen tintar las ventanas, totalmente opacas, con efecto espejo, de color. El aspecto exterior intenta ser único, reflejando la personalidad del propietario porque aplica su imaginación y toque distintivo. La inversión es también la que define límites. Es una actividad costosa.
- Habitaculo: Tambien es susceptible de sufrir modificaciones, ya sea el pomo de la palanca de cambios, el volante o la tapicería de los asientos. Un mundo aparte es la instalación de audio, multimedia e iluminación...

La afición por el tuning crece exponencialmente y casi en cada población, por pequeña que sea, incluye en su calendario de ferias y fiestas un par de fechas para organizar una concentra-

Of Anglo-Saxon origins the word tuning, according to its definition means to adjust or tune-up the mechanical and/or electronic components in a motor vehicle.
The tuning and customizing any means of transport, whether it's a car, motorbike, lorry or a launch, is nowadays a growing industry and a very popular and widespread hobby. The process consists equally of making modifications to the mechanics as to the vehicle's external appearance to achieve a unique style which is tuned to the style of its owner's driving. For this reason it's not uncommon to hear it said there are no two cars tuned absolutely alike. To keep it short and simple, what we can say is:

Tuning = customization + originality

The types of tuning can be divided into the following sections:

- Mechanics: the aim being to improve performance for increased power at high revolutions or to improve manoeuvrability, etc.
- External appearance: Everything is changed (or almost) the aerodynamics, the design equally of the skirts as the front and rear bumpers, spoilers are added, air vents, alloy wheels...
- Painting: To paint the car a colour in which it is not available from the dealer, give it a colour marketed by another make in another model, a special paint, whether it be matt, chromium-plated, iridescent, chameleon-like, two-tone, tricolour, multicoloured... and to add to all this airbrushed graphics, vinyl, stickers, even the windows are usually tinted, completely opaque, with a mirror effect or coloured. The intention is for the car to have a unique appearance, to reflect the owner's personality, having applied their imagination and added their own special touch. This being a costly exercise however, the limits are usually set by the investment.
- Car inside: Also likely to be customized, whether it's the gear lever knob, the steering wheel or the seating upholstery. A world apart is the installation of the audio, multimedia and lighting systems...

The interest in tuning is increasing exponentially and almost every town or village, no matter how small, includes a couple of dates on its local fairs and fiestas calendar to organize a rally to

Ultimate
T3

ción y exponer el tuning en su estado puro, qué evoluciona como una moda y un estilo, por lo que forma parte de la "cultura urbana" actual. Esta actividad es una expresión cultural de ambientes urbanos, muy semejante al tatuaje o al piercing.
Como en todas las modas y aficiones, hay varios estilos:

- Hot Rod, surgidos en los Estados Unidos de América, después de la segunda guerra mundial, que se personalizan según los requerimientos particulares para el funcionamiento y/o aspecto, manteniendo un vehículo histórico con la reconstrucción de los elementos estropeados ;
- Low Rider, carrocería muy baja, suspensión hidraúlica que posibilita la subida y bajada brusca de la carrocería estando incluso el coche en movimiento, y llantas con muchos radios;
- Racing, más que estilo es un tipo de modificación, de adaptación de la estética rally a un coche de serie;
- Dub, se reconoce por las grandes llantas, elementos cromados, suspensiones neumáticas para bajar el coche hasta rozar el suelo, pintura dominante negra;
- Import, basado en los coches japoneses, deportivo y moderno, que se distingue por las grandes entradas de aire tanto en los parachoques, como en el capó, en las taloneras... de colores llamativos y excelentes aerografías;
- Custom, de origen americano dentro de los ámbitos latinos, chicanos e hispanos. De carrocerías bajas y redondas, accesorios cromados, con una decoracion de calaveras, dados, cartas, llantas cromadas y tapicerías de pieles de animales;
- Rat, de colores mate y efecto oxidado;
- Hi-Tech, Basados en la tecnología que apuesta por una decoración sencilla y minimalista, con carputers, monitores y equipos de audio de excelentes prestaciones;
- Barroco, con un exceso de carga de detalles, grandes ensanches de carrocería y llantas llamativas, ya sea por tamaño o por dibujo;
- Extreme, coches dedicados básicamente a la exposición, como por ejemplo los de los fabricantes de car audio;
- Alemán, uno de los estilos mas limpios y respetuosos con la linea original del vehículo, chasis rebajados, anchos de vías altos, elementos de seguridad como barras antivuelco, etc...;
- Belga, muy similar al estilo alemán, pero añadiendo una suspensión neumática para bajar totalmente el coche hasta tocar con el suelo.

En cuanto al estereotipo de tuneros, y tomando como referencia Europa, la media de edad se sitúa entre los 18 y los 30 años, con un perfil de clase media o media-alta. Tunear un coche supone un desembolso de unos tres mil euros como mínimo. Sin embargo, existe también un tipo de aficionado al tuning de mayor edad y nivel adquisitivo, que prefiere un tipo de tuning más discreto y sofisticado, denominado styling. Para poder circular con el coche, todos los elementos deben estar debidamente homologados para superar la inspección técnica de vehículos.

display tuning in its pure state, something which has developed into a cult and an approach to style which has become part of today's "urban culture". This activity is a cultural expression of urban life, very similar to tattoos or piercing.
As with all cults and interests, they come in many different varieties:

- Hot Rod, appeared in the United States of America after World War Two, customized according to the particular demands for its operation and/or appearance, a means of preserving a veteran vehicle by rebuilding the damaged and broken parts;
- Low Rider, very low bodywork, hydraulic suspension which allowed for the rapid rise and fall of the bodywork, even with the car moving, and the wheels came with many spokes;
- Racing, rather than being a style of its own this is more of a means of taking a mass produced car and adapting it to rally car aesthetics;
- Dub, is identified by the large wheels, chrome elements, pneumatic suspension to drop the car down until it skims the ground, predominantly painted black;
- Import, based on sporty, modern Japanese cars set apart by the large air intakes equally on the bumpers as on the bonnet, on the side skirts. Bright colours and exquisite airbrushing;
- Custom, originated in America amongst the Latin, Mexican-American and Hispanic circles. Low rounded bodywork, chrome accessories, decorated with tail lights, dice, cards, chromed wheels and upholstered in animal skins;
- Rat, matt colours and a rusty effect;
- Hi-Tech, based on the technology which opts for simple minimalist look with carputers, monitors and high performance audio equipment;
- Baroque, with an excess of trims, great wide bodyworks and showy wheels whether it be on account of size or graphics;
- Extreme, the cars basically intended for the shows, such as those from the car audio manufactures for example;
- German, cars with the cleanest lines and the most respectful of the original design of the vehicle, with dropped chassis, high gauges, safety features such as roll bars, etc...;
- Belgian, very similar to the German style but with the addition of pneumatic suspension to drop the car right down to street level.

As regards the stereotype for the car tuners themselves, as far as Europe goes, the average age is somewhere between 18 and 30 with a class profile of middle to upper middle class. Tuning a car involves investing a minimum of around three thousand euros. That said, there is also another type of tuning aficionado, that of the middle aged enthusiast with purchasing power, who prefers a more discreet and sophisticated type of tuning which goes by the name of styling. To actually be able to drive these cars on public highways, all the elements must be officially approved to pass the annual MOT's or technical inspections for vehicles.

FALKEN
DBM
ENGINEERING
FALKEN
B 3944 XD

99·02·RC

ROLLS
ROYCE

Hay un estilo de tuning más discreto y sofisticado, que está dirigido a clientes con un alto nivel adquisitivo y que se pueden permitir este tipo de exclusividad. Básicamente se tratan de vehículos que son 'vestidos' con un *body kit* especialmente diseñado por esos preparadores y que siempre suele ser idéntico para todas las unidades del mismo modelo.

Encontramos empresas como **Mansory**, **Brabus**, **Novotec Rosso**, **Edo-Competition**, **TechArt**, etc... que modifican y/o preparan coches de alta gama con todo lujo de detalles; Ferrari, Porsche, Mercedes, Lamborghini, Aston Martin, y Bentley, son algunas de las apuestas que presentamos en las siguientes páginas.

There is a more discreet and sophisticated style of tuning, directed at clients with the high purchasing power required for this type of exclusivity. Basically these are vehicles which are "dressed" in a body kit specially designed by these tuning and customizing experts and are usually identical for all those of the same model.

We come across tuning experts such as **Mansory**, **Brabus**, **Novotec Rosso**, **Edo-Competition**, **TechArt**, etc... which tune and/or customize top of the range cars in great detail; Ferrari, Porsche, Mercedes, Lamborghini, Aston Martin, and Bentley, are just some of the examples you will find in the following pages:

astonmartinVANTAGEV8
by Mansory

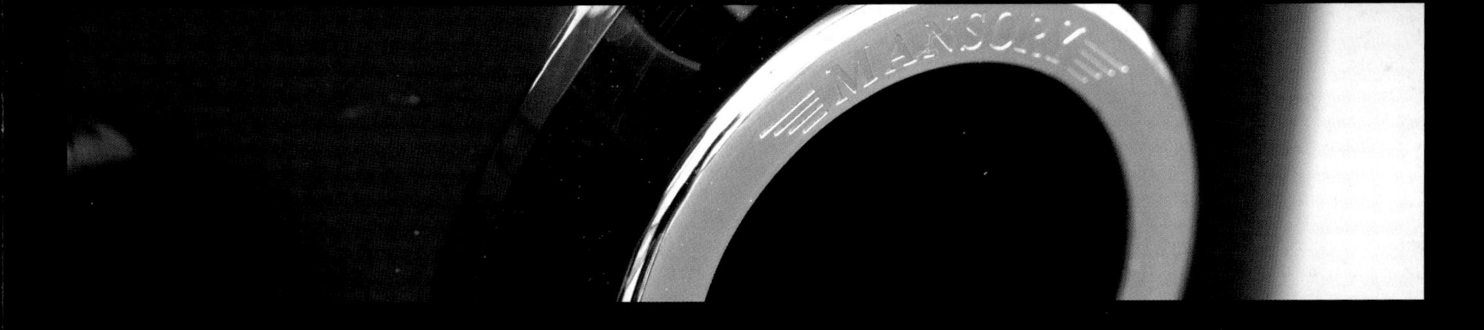

The **MANSORY Cooperation GmbH**
Fotos / Photos: The **MANSORY Cooperation GmbH**

Decir "pequeño pero bueno" sería quedarse demasiado cortos.

La nueva serie del **Aston Martin Vantage V8** es sin duda una buena ganga para tener un Aston Martin, pero recientemente, con la personalización de MANSORY se ha convertido en un deportivo de pura raza superior.
Como en todas las gamas de personalización el espoiler delantero incorpora un adaptador para una parrilla de 4 líneas, similar a la nueva parrilla de radiador ligera de 6 líneas, lo que mejora la entrada de aire a la vez que proporciona una imagen elegante y discreta
Se han instalado frenos BREMBO especiales, con discos de 405/32 y 6 pistones delante y discos de 405/28 y 4 pistones detrás, con freno de mano integrado.
Los conductores experimentan una nueva conducción con respecto a los frenos y a las nuevas llantas ligeras de aluminio forjado de alto rendimiento.
Las dimensiones son 9x20J con llantas de alto rendimiento de 255/35/20 en la parte delantera, y 10.5x20J con llantas de 285/30/20 en la parte posterior.
Además los faldones laterales corrigen la aerodinámica del vehiculo y le dan el aspecto de ser mucho más bajo. Otro detalle típico son los laterales integrados de fibra de carbono con entradas de aire por detrás, idénticos a los de toda la gama modificada.
El efecto del diseño de la parte trasera del vehiculo se consigue por medio de un difusor de fibra de carbono integrado, protectores de luces traseras de fibra de carbono y el alerón incorporado ala puerta del maletero, que le proporciona un aire mucho más deportivo a la vez que supone un apoyo a la presión de contacto dinámico.
Los detalles cromados son los tubos de escape redondos dobles verticales. Son completamente nuevas las salidas de aire de aluminio anodinado del capó que coronan el exterior, sin olvidar las los espejos retrovisores laterales de fibra de carbono. También es nueva la suspensión deportiva que logra que el vehiculo sea 20 mm más bajo (aproximadamente 0.8 pulgadas).
Si desea hacerlo más individualizado MANSORY no dejará nada a la imaginación, usted podrá escoger los mejores materiales.

De hecho, aparte del volante, la fibra de carbono remata hasta el último detalle del equipamiento, como el set de pedales de aluminio o la palanca de freno, también de aluminio.

'Small but nice' to say would be more than understatement.

The new series of the **Aston Martin Vantage V8** for sure is a favourable bargain to own an Aston Martin, but latest with MANSORY customization there is born a one more superlative purebred sportscar.
Like all customization ranges the frontspoiler comes with an adaptive 4-line grilleelement, similar to the new 6-line lightweight main radiator grille, afford by the way a better air supply and will give an elegant also a new snappy optical characteristic.
Special developed BREMBO brakes with dimensions of 405/32 rotordiscs with 6 piston calibers for the front and add on for the rear dimensions of 405/28 with 4 piston calibers and a integrated handbrake system. There will be a complete new drivers feeling regarding the brakes and the brand new fully forged Aluminium leightweight performance wheels.
Dimensions are in the front like 9x20J with accordant 255/35/20 high performance tyres and for the rear 10.5x20J by 285/30/20 tyres.
Dimensions are in the front like 9x20J with accordant 255/35/20 high performance tyres and for the rear 10.5x20J by 285/30/20 tyres.
Likewise the side skirts amend the aerodynamic and let the car looks much more deeper.
Yet another typical detail are the integrated carbon flanks with air intakes behind of them, identic to all the modified range.
The rear design shows the apron with an integrated carbon diffusor, carbon tail lamp covers and again a step more sportier the rear trunk lid spoiler which supporting the dynamic contact pressure, a total effect comes up to the backside look.
The chromed details are the integrated rounded double exhaust tips over and under. Totally new the anodized aluminium air outtakes on engine bonnet, together they are toping the exterior off, but don't forget the racy carbonfibrewing mirrors. Also new the suspension lowering with sport performance springs, the complete vehicle comes down 20 mm (approx.: 0,8 inch).
If you want it more individual MANSORY will leave nothing to the interior imagination, you can choose from the finest materials.

As a matter of course beside steering wheel, carbonfibre trim equipment up to the smallest details like the 3-part set of aluminium pedals or the aluminium brake handle.

MANSORY

bentleyLeMANSory convertible by Mansory

The **MANSORY Cooperation GmbH**
Fotos / Photos: The **MANSORY Cooperation GmbH**

LE MANSORY CONVERTIBLE, basado en Bentley Continental GTC, la edición limitada de los componentes de personalización. La combinación de las palabras MANSORY y el famoso circuito francés de Le Mans origina el nombre de esta gama.
Incorpora un espoiler delantero con luces LED diurnas permanentes integradas, entradas de aire extremas y sorprendentes elementos de fibra de carbono que proporcionan al bólido los rasgos de un autentico coche de carreras.
Los faldones laterales y los parachoques reflejan claramente el aspecto del mundo del motor y homenajea la definición de vehículo wideboy. Así mismo el frontal cuenta con amplias tomas de aire y elementos de carbono que refuerzan su aspecto de vehiculo deportivo.
El rediseño completo del faldón trasero con alerón en el maletero incorpora el sistema de escape de dobles cuadrados de acero inoxidable cromados, lo que hace que el vehiculo sea inolvidable. Los filtros de aire deportivos y el sistema completo de catalizador deportivo hacen que el sonido producido sea absolutamente imponente. La ingeniería electrónica de MANSORY elevan el rendimiento del vehiculo a 641bhp, 650PS, 478 kW a 6100rpm con una velocidad máxima de 205 millas por hora o 330 km/h con un par motor de 780 Nm 575 libras por pie a sólo 1600 rpm. La aceleración es de 0 a 100 km/h en 4.6 segundos y de 0 a 60 km/h en 4.4 segundos. En combinación con las ligeras ruedas de dimensiones 10 x 22J con llantas de alto rendimiento 305/30/22 contribuye a darle un aspecto deportivo, reforzado por el sistema de suspensión que hace al vehiculo hasta 30 mm más bajo. Detalles de genuina fibra de carbono, volante deportivo de una combinación de carbono y piel, y la tapa del motor de fibra de carbono subrayan el estilo deportivo del vehiculo. El interior es en cuero y Alcántara y en el embellecedor del hueco de la puerta está el Logo LE MANSORY, pulido. El juego de pedales (acelerador, freno y reposapiés) son de acero inoxidable pulido perforado. Las alfombrillas incorporan el logo de LE MANSORY y están rematadas en cuero, todo ello en colores de moda como el que se muestra aquí en una combinación de negro y naranja. Acelere con nosotros y conviértase en uno de los 24 afortunados en disfrutar de esta modificación limitada para su Bentley Continental GTC.

LE MANSORY CONVERTIBLE, based on Bentley Continental GTC, the limited edition of the widebody customization components. The word combination MANSORY and the famous french racetrack Le Mans are building the title of this modification range.
A complete new front spoiler integrated with state of the art LED permanent daylights, extrem air intakes and so on the striking carbonfibre elements gives the bolide a true bred racing car trait.
The side skirts and the fender attachments express clearly the motoring appearance and honours the widebody definition. Likewise the front there are large air intakes and carbonfibre elements which supporting the sporty impression.
The complete redesigned rear skirt with the rear trunk spoiler incorporates the double quad chromium plated stainless steel exhaust system which makes the vehicle unforgettable and the sport air filters and the sportcatalysor completed system will give a sonouros dominating unique sound. With the MANSORY electronic engineering package the performance grows up to 641bhp, 650PS, 478 kW at 6100rpm on to a top speed of 205 mph or 330 km/h evolving in a gigantic peak torque of 780 Nm, 575 lb ft by only 1.600 rpm. The acceleration is 0 - 100km/h 4.6 seconds respectively 0 - 60mph/h 4.4 seconds. In combination with the absolutly lightweight fully forged wheels in size 10 x 22J with 265/35/22 high performance profile tyres and 10 x 22J with 305/30/22 tyres contribute to a sporty appearance supported to the e-lowering suspension system up to 30mm. Genuine carbonfibre trim inserts, sport steering wheel in combination Leather/Carbon, real carbonfibre 4-parts engine cover are more detailed racy highlights. More inside wafer and perforated finest leather works and Alcantara, illuminated sill plates in stainless steel with a lighted LE MANSORY Logo, high polished. Foot deposite pedals 3-parts like accelerate pedal, brake- and restpedal in stainless steel high polished punched. Floor mats for the foot area with LE MANSORY logo stick with leather border, everything selectable in special trendy colors for example shown here in black/orange. Accelerate with us and be one of the 24 individualists with this limited modification program for your Bentley Continental GTC.

MANSORY
MANSORY

DO NOT COVER

DO NOT COVER

TuNero

NOVITEC ROSSO GmbH & Co. KG
Fotos / Photos: **NOVITEC ROSSO GmbH & Co. KG**

Novitec Rosso puede echar la vista atrás a muchos años de experiencia en el arte del refinamiento de vehículos italianos. El compresor y los motores turbo de Novitec -especialmente para Alfa Romeo- gozan de reconocimiento mundial. La calidad y la determinación, junto con la creatividad y la visión de futuro han hecho de Novitec una de las empresas que más éxitos cosechan en el mundo del automóvil.

F430 TuNero

Motor:
- Novitec Rosso RACE Bi- compresor con dos sobrealimentadores Rotrex.
- Rendimiento: 520kw/707hp a 8.350 rpm.
- Par de motor máximo: 712 Nm a 6.300 rpm.
- Aceleración 0-100km/h 3.5 seg. Vmax: 348km/h.
- Sistema de escape de acero inoxidable con conversores catalíticos 100 Zeller intercambiables con módulos de regulación electrónicos.
- Sistema de frenos: sistema de frenos BREMBO de alto rendimiento, que incluye calibradores de freno de 6 pistones con discos de frenos perforados de 380 mm, delanteros y traseros, con levas de freno de acero flexible.
- Suspensión: Novitec / Pirelli neumáticos / llantas tipo NF2 RACE en color negro mate, delanteras 9x19 pulgadas ET28 con 255/30R19 Pirelli P-Zero, las traseras 12,5x20 pulgadas ET46 con 345/25R20 Pirelli P-Zero.
- Hoja de aluminio sobre la suspensión KW (ajuste dual)
- Barra estabilizadora delantera y trasera.

Aerodinámico:
- Parachoques delantero, alas para los paneles laterales, faldón trasero, guardabarros Supersport.

Interior:
Kit RACE interior totalmente de piel (TuNero Edition) que incluye una estructura de seguridad de aluminio completamente integrada, revestimiento en techo y laterales, marco de ventana trasera, pilar A*B completo, parte inferior y superior de la cobertura lateral del salpicadero y la guantera, tiradores y reposabrazos en las puertas, palanca del freno de mano y su cobertura, visera parasol, alfombrillas, volante Supersport en fibra de carbono y cuerpo, palanca de cambios de fibra de carbono F1, consola central, extensión incluida, juego de pedales de aluminio y reposapiés de conductor y pasajero.

Otros:
Juego de luces ultravioletas: luces traseras e intermitentes laterales, luz de freno, reflectores. Cobertura de fibra de carbono para el compartimiento del motor. Compartimiento del motor con ventilación.

Novitec Rosso can look back over many years of experience in the art of refining Italian motor cars. The Novitec compressor and turbo engines - particularly for Alfa Romeo - enjoy world-wide acclaim.
Quality awareness and determination, coupled with creativity and foresight, have forged Novitec into one of the most successful companies in the automobile branch.

F430 TuNero

Engine:
- Novitec Rosso RACE Bi-Compressor with two Rotrex Superchargers.
- Performance: 520kw/707hp at 8.350 rpm.
- Max. Torque: 712 Nm at 6.300 rpm.
- Acceleration 0-100km/h 3.5 sec. Vmax: 348km/h.
- Stainless steel exhaust system RACE with flap-regulation electronic switchable, catalytic converters 100 Zeller.
- Brake Systems: high performance brake system by BREMBO including 6-pistons brake-calipers with 380mm perforated and ventilated brake-discs at the front and rear, steel-flex brake lines.
- Suspension: Novitec / Pirelli set wheels / tyres type NF2 RACE in matt-black , front 9x19 inch ET28 with 255/30R19 Pirelli P-Zero, rear 12,5x20 inch ET46 with 345/25R20 Pirelli P-Zero.
- KW aluminium coil over suspension (dual adjustment).
- Anti sway bar kit for front and rear.

Aerodynamic:
- Front bumper, wings for side panels, rear skirt, rear wing Supersport.

Interior Program:
Complete interior leather appointment kit RACE (TuNero Edition) including a complete integrated safety cage of aluminium complete covered, head lining and side covering, rear window frame, A*B pillar complete, dashboard upper and bottom part with side covering and glove-compartment lid, door covering with handles and armrest, handbrake lever and handbrake lever cover, sun visor, floor mats, steering wheel Supersport Carbon/leather, Carbon shifter lever F1 enlarged, center console incl. enlargement, aluminium pedal set with driver- and passenger-footrest.

Others:
Set of black rear lights and side indicators, black 3rd brake light and reflectors, carbon covering for engine compartment, carbon engine compartment ventilation.

Parachoques delantero, alas para los paneles laterales, faldón trasero, guardabarros Supersport.

Front bumper, wings for side panels, rear skirt, rear wing Supersport.

TuNero

HARDCORE
HARDCORE
TuNero

TuNero Bike

Motor:
- RevTech 2007 Evolution Single Fire de ignición, tubo de escape y colectores cerámicos WHC, Carburador Mikuni.
- Rendimiento: 88kw/120hp.
- Desplazamiento: 110 pulgadas cúbicas.

Transmisión:
- RevTech 5-velocidades, transmisión primaria por correa, embrague hidráulico.

Estructura:
- Estructura Walz Hardcore Cycles 2007 Grand Prix con inclinación de 40 grados, amortiguadores Legend Air Ride, brazo móvil Walz. Hardcore Cycles.

Ruedas:
- Delanteras estilo 3,5 x 18 Zoll NOVITEC con Metzeler 130/60-18. Traseras estilo 11 x 18 NOVITEC con Metzeler 280/35-18.

Otros:
- Cobertura de válvula de fibra de vidrio, cobertura primaria de fibra de vidrio, aerografía por "Maze" Wagner.

TuNero Bike

Engine:
- RevTech 2007 Evolution Single Fire ignition, WHC ceramic exhaust and headers, Mikuni Carburator.
- Performance: 88kw/120hp.
- Displacement: 110 cubic inches.

Transmission:
- RevTech 5-gears, Belt-drive Primary, hydraulic Clutch.

Frame:
- Walz Hardcore Cyles 2007 Grand Prix Frame with 40 degree Rake, Legend Air Ride shocks, Walz Hardcore Cycles Swingarm.

Wheels:
- 3,5 x 18 Zoll NOVITEC Style front with Metzeler 130/60-18.
- 11 x 18 NOVITEC Style rear with Metzeler 280/35-18.

Others:
- Carbon valve cover, Carbon Primary cover, Pinstripes by “Maze” Wagner.

RevTech

porscheCAYENNE
by TechArt

TECHART Automobildesign GmbH
Fotos / Photos: **TECHART Automobildesign GmbH**

El mundialmente conocido TECHART Automobildesign presenta un extenso programa tecnológico con un nuevo programa de individualización para el **TECHART SUV basado en el Cayenne** (modelo 2008).

El Kit Aerodinámico I proporciona al TECHART SUV una línea perfectamente definida e inequívocamente reconocible. El espoiler frontal, los paneles de los marcos de las puertas y el difusor trasero han sido revisados, y conceden al TECHART SUV un aire elegante y deportivo. Todas las piezas del chasis han sido fabricadas de plástico PUR RIM. Este vehiculo, deportivo dentro y fuera de la carretera, hereda la línea dinámica del Cayenne Facelift. El Modulo deportivo TECHART da la opción de bajar el chasis del SUV hasta 30 milímetros - lo que facilita su manejo en carretera y lo hace más atractivo. La gama de ajuste, desde el nivel de carga hasta el nivel de terreno especial ronda los 110 milímetros.

▪ **Aerodinámico:**
El kit aerodinámico I de TECHART SUV (espoiler frontal, paneles de marcos de puerta, difusor trasero) es de primera calidad, confeccionado en plástico PUR RIM; Continuación de la línea dinámica del Cayenne Facelift
▪ **Ruedas:**
Bordes Formula I en 10x22 ET 55 con 295/30 ZR22 en el eje delantero y trasero o, en la versión superior, bordes de metal ligero TECHART Formula II con dimensiones.5Jx22. Los neumáticos óptimos para los bordes Formula con los ContiCrossContact UHP. Se escogieron neumáticos de tamaño 295/30 ZR 22, certificados en el Cayenne a una velocidad máxima de 300km/h. esto quiere decir que el SUV también está preparado para el motor del Cayenne Turbo, que en su versión más alta ha sido desarrollado para hasta 620 hp / 456 KW.
▪ **Chasis:**
Al encajar la suspensión de aire con el Modulo deportivo TECHART, el chasis queda 30 milímetros más bajo y por consiguiente no hay obstáculos para su uso en situación deportivas en carretera. El rango de niveles de configuración, desde el más bajo (nivel de carga) hasta el más alto (nivel de terreno especial) es de aproximadamente 110 milímetros.
▪ **Potenciación del motor:**
Kits de rendimiento de hasta 456 KW / 620 hp y paquete de óptica del motor (paneleado de fibra de carbono y varias partes del motor pintadas). Sistema de escape deportivo
▪ **Interior:**
Desde el volante deportivo hasta los acabados de piel diseñados por de Sede y sistemas multimedia último modelo

The globally renowned enhancer TECHART Automobildesign is presenting an extensive technology programme with a brand new individualisation programme for the **TECHART SUV on the basis of the Cayenne** (model 2008).

Through the Aerodynamic Kit I, the TECHART SUV is given its perfectly formed line with an unmistakeable recognition value. The front spoiler, sill panels and rear diffuser have been revised and lend the TECHART SUV its sporting and elegant look. All chassis parts are manufactured as first fit made of PUR-RIM plastic. The sporty off and on-road vehicle thus receives the dynamic line of the Cayenne Facelift. The TECHART Sport Module provides the option of lowering the SUV chassis by an impressive 30 millimetres - which simplifies road use and makes it more attractive. The entire adjustment range from the load level to the special terrain level is roughly 110 millimetres.

▪ **Aerodynamics:**
TECHART SUV aerodynamic kit I (front spoiler, sill panel, rear diffuser) in first fit quality, made of PUR-RIM plastic; Continuation of the dynamic line of the Cayenne Facelift
▪ **Tyres:**
Formula I rims in 10x22 ET 55 with 295/30 ZR22 on front and rear axle or, as maximum version, TECHART Formula II light metal rims in the dimensions 10.5Jx22. As optimum tyres for the Formula II rims, ContiCrossContact UHP tyres in the sizes 295/30 ZR 22 were selected, certified on the Cayenne up to a maximum speed of 300 km/h. This means that the SUV is also prepared for engine tuning for the Cayenne Turbo, which in its strongest version is developed for up to 620 hp / 456 KW.
▪ **Chassis:**
Fitting of the air suspension with the TECHART Sport Module means that the chassis is lowered by an entire 30 millimetres; accordingly, there is no hindrance to use in sporting on-road situations. The entire setting range from the lowest level (load level) up to the highest level (special terrain level) covers around 110 millimetres.
▪ **Engine tuning/enhancement:**
Performance kits up to 456 KW / 620 hp and Engine optics package (carbon panelling and various engine parts painted). Sport exhaust systems
▪ **Interior:**
From the sports steering wheel through to complete leather fittings by de Sede and State of the art multimedia-systems.

En dos colores: blanco o negro.

Two colors: black or white.

TECHART

BRABUS

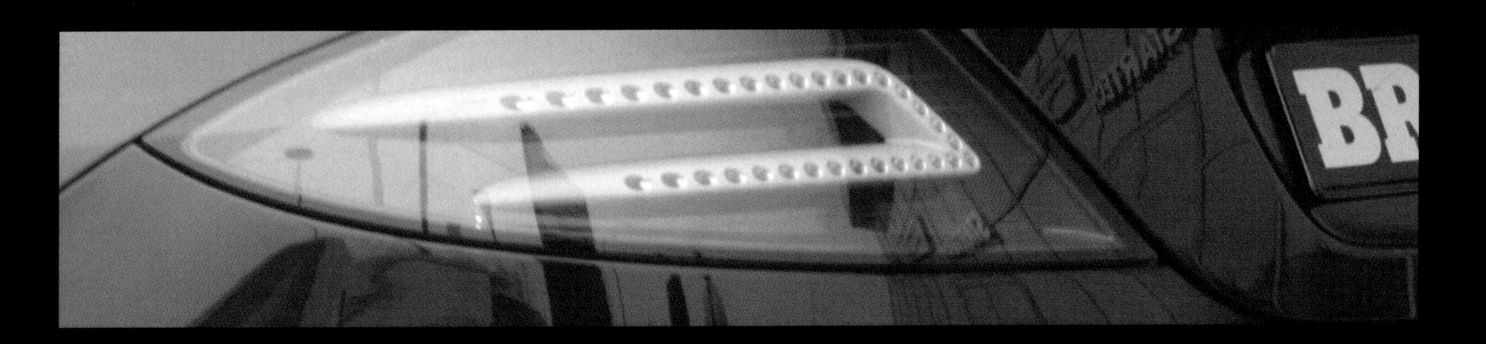

BRABUS GmbH
Fotos / Photos: **BRABUS GmbH**

El **Mercedes-Benz SLR McLaren** es uno de los coches deportivos más fascinantes del mundo. Siguiendo su idea de que lo mejor es suficiente para BRABUS, los ingenieros y diseñadores de BRABUS han desarrollado en exclusiva un programa deportivo para el biplaza.
BRABUS equipa al SLR con un diferencial especial de bloqueo automático. Este 40 por ciento más de bloqueo optimiza aun más la tracción superdeportiva y en consecuencia mejora la aceleración.

En la versión BRABUS Racing con sistema de enfriamiento de combustible, árbol de levas hecho a medida y sistema abierto de escape del sobrealimentador V8 el motor llega hasta 660 hp / 486 kW a 6,500 rpm. El sistema de escape no está certificado para su uso en vías públicas. Con este equipamiento el SLR es capaz de pasar de reposo a 100 km/h en sólo 3.6 segundos, y alcanza una velocidad máxima de 340 km/h.

Para obtener una estabilidad direccional mejorada a altas velocidades los diseñadores de BRABUS han desarrollado un nuevo espoiler para el faldón delantero. La parte de mejora de la aerodinámica de fibra de carbono expuesta reduce la elevación del eje delantero a la par que le proporciona un look más deportivo. El difusor trasero también está hecho de fibra de carbono expuesta. Las llantas Monoblock IV de BRABUS de aleación de aluminio de 20 pulgadas con seis radios dobles capta inmediatamente la atención. Las llantas pulidas de dimensiones 9.5Jx20 en el eje delantero y 11.5Jx20 en el trasero rellenan perfectamente el especio disponible entre la llanta y los guardabarros. BRABUS escoge neumáticos de alto rendimiento en los tamaños 255/30 ZR 20 y 305/25 ZR 20 como la mejor solución. El cambio a las combinaciones de llantas y neumáticos de 20 pulgadas BRABUS proporcionan al Mercedes-Benz SLR McLaren un manejo dinámico aún mejor.

La propia tienda de tapicería de la empresa ha creado un interior BRABUS a base de una combinación exclusiva de negro y rojo en piel y Alcántara, llevada a cabo a la perfección hasta el más mínimo detalle. El diseño con puntadas del suelo de piel del SLR es especialmente elaborado y precisa de 7.800 metros de hilo de la más alta calidad. Para facilitar la entrada y la salida BRABUS ha fabricado un volante deportivo a medida con un diseño ergonómico que es plano en la parte inferior. Para el cambio manual de la transmisión automática del SLR el volante BRABUS cuenta con botones integrados en los radios.

Los deportivos BRABUS están a la venta por 600.000 euros. En este precio está incluido el transporte aéreo del SLR a cualquier parte del mundo.

The **Mercedes-Benz SLR McLaren** is one of the world's most fascinating sports cars. Following their credo that the best is just good enough for BRABUS the engineers and designers at BRABUS have developed an exclusive sport program for the two-seater.
BRABUS equips the SLR with a special self-locking differential. Its 40 percent locking rate further optimizes the super sports car's traction and thus further improves acceleration.

In BRABUS Racing version with performance-improving fuel cooling, custom camshafts and an open racing exhausts system maximum power output of the supercharged V8 engine increases to 660 hp / 486 kW at 6,500 rpm. The exhaust system is not certified for use on public roads. Thus equipped the SLR storms to 100 km/h from rest in just 3.6 seconds and reaches a top speed of up to 340 km/h.

For further improved directional stability at high speeds the BRABUS designers eveloped a new spoiler for the front air dam. The exposed-carbon aerodynamic-nhancement part reduces lift on the front axle and adds another shot of racing looks. The rear diffuser is also made from exposed carbon. The multi-piece BRABUS Monoblock VI 20-inch light-alloy wheels with six double spokes command immediate attention. The fully polished wheels in size 9.5Jx20 in front and in size 11.5Jx20 on the rear axle fill out the available space below the wheel arches perfectly. BRABUS chose high-performance tires in sizes 255/30 ZR 20 and 305/25 ZR 20 as the optimal solution. The conversion to the BRABUS 20-inch tire/wheel combination gives the Mercedes-Benz SLR McLaren even more dynamic handling prowess.

The company-own upholstery shop created a BRABUS interior from an exclusive black and red combination of leather and Alcantara, perfectly crafted down to the last detail. The waffle-design stitching of the SLR leather floor is especially elaborate and it alone uses 7,800 meters of the finest thread. For easier entering and exiting BRABUS manufactured a custom BRABUS sport steering wheel with an ergonomically shaped rim that is flat on the bottom. For manual shifting of the SLR's automatic transmission the BRABUS steering wheel features buttons integrated into the spokes.

The BRABUS super sports car sells for 600,000 Euros. Included in the price is the SLR's air-freight shipment to anywhere in the world.

BRABUS

Combinación exclusiva de negro y rojo en piel y Alcántara

An exclusive black and red combination of leather and Alcantara

lamborghini MURCIELAGO LP640
by Edo-Competition

Edo Competition Motorsport GmbH
Fotos / Photos: **Edo Competition Motorsport GmbH**

Con motores de rendimiento mejorado, componentes de conducción dinámica y elegantes interiores, EDO-COMPETITION hace realidad el coche de sus sueños a partir de su vehiculo estándar independientemente del fabricante. Un experimentado equipo de especialistas e ingenieros de todas las áreas de la construcción de automóviles trabajan en la sede central de la empresa en Ahlen.
Los requisitos aquí coinciden con los estándares más altos.

Especificaciones:
- Motor 6.5 ltr. V12.
- Potencia 663 hp / (487.5 kW) a 7800 rpm.
- Par motor 675 Nm (498 pies por libra) a 5600 rpm.

Rendimiento:
- Velocidad máxima aproximada 348 km/h (216 mph).
- 0 - 100 km/h (0 - 62 mph) aprox. 3.4 segundos.

Características:
Motor:
- Recalibración ECU.
- Filtros de aire de alto flujo.
- Conversores catalíticos de alto rendimiento con un nuevo diseño.
- Nueva válvula de control de mariposa del tubo de escape (con posibilidad de control remoto).
- Nuevo silenciador de alto flujo.
- Nuevos tubo de escape de acero inoxidable:

Cuerpo:
- Faldón trasero con borde ajustable de diseño especial.

Ruedas:
- Pintadas según motivo personalizado si se solicita.

Interior:
- Cámara de vista trasera.
- Sistema de control de la presión de los neumáticos.

With performance-enhanced engines, driving-dynamic components or glamorous interiors, EDO-COMPETITION create your individual dream car from your standard vehicle irrespective of vehicle manufacturer. An experienced team of specialists and engineers from all fields of automobile construction, work at the company headquarters in Ahlen. Here requirements are met to the highest standards.

Specifications:
- Engine 6.5 ltr. V12.
- Power 663 hp / (487.5 kW) at 7800 rpm.
- Torque 675 Nm (498 ft-lb) at 5600 rpm.

Performance:
- Top speed est. 348 km/h (216 mph).
- 0 – 100 km/h (0 - 62 mph) est. 3.4 s.

Features:
Engine:
- ECU recalibration.
- Special high-flow air filters.
- Newly designed high-performance catalytic converters.
- New exhaust butterfly valve control (remote-controlled on request).
- New high-flow muffler.
- New stainless steel exhaust tips.

Body:
- Specially designed rear wing with adjustable lip.

Wheels:
- Custom paint on request.

Interior:
- Rear view camera.
- Tire pressure monitoring system.

edo

edo competition

Pintadas según motivo personalizado si se solicita.

Custom paint on request.

edo competition

ContiSportContact Vmax

edo competition

Service
4979 BMK
4403 CCT
B 7370 VN
GI7090BS

GALAXY CARS
5228 CKP
LONCHAS
TUNING
4403CCT
M3

99·02·RC
00
03
P
caixanova

PURE TUNING

El propietario que tunea su automóvil sabe por dónde empezar, pero nunca sabrá dónde se acaba. Su meta es transformar el coche a su gusto y antojo para hacerlo un modelo único, totalmente diferente al coche de serie.

Lejos de las empresas que trabajan bajo diseños prefabricados, y practicamente haciendo un tuneo en serie como hemos visto en el capítulo anterior, los dueños de vehículos que se deciden a cambiar su coche lo hacen casi artesanalmente, utilizando piezas de otros modelos, o del mismo pero mejoradas, invirtiendo más del coste original del automóvil, buscando una estética, un diseño y una tecnología única. Podemos llegar a decir que no existen dos coches absolutamente iguales.

Desde Europa hasta América del Sur, veamos algunas de las más interesantes modificaciones de estilos muy variados y que se han realizado en los últimos meses.

The owners who like to tune their cars always know where to start but never know where to finish. The aim is to transform the car according to their likes and whims into something completely different from the original mass produced model.

Very different to the companies who work under prefabricated designs and practically carry out standardised tuning as seen in the previous chapter, the owners of vehicles who decide to transform their cars do it in an almost artisan-like fashion, using parts from different models, or the same but better, investing more than the original cost of the car itself in search of a distinctive style, design and technology.
We can even go as far as to say there are no two cars alike.

From Europe to South America, we see some of the most interesting and very different customizations carried out over the last few months.

opelASTRA G

DANI NAVARRO / NAVARRO TUNING
Fotos / Photos: **Santi Triviño**

El coche fue modificado por su propietario en sus horas libres, con la participación de toda su familia. Dani explica orgulloso que el cosido de la tapicería de los asientos es obra de su madre. El coche fue homologado por un ingeniero industrial. El presupuesto total ascendió a unos 6.600 euros.

Exterior:
Se sustituyeron ambos parachoques; el delantero por el del Seat León Cupra '07 y el trasero por el del León Cupra '05.
- Taloneras laterales del BMW M-3.
- Retrovisores del BMW E-46.
- Aletines delanteros artesanales de fibra, aletines traseros del Opel Calibra.
- Pilotos traseros tipo Lexus.
- Llantas de Audi A8 pulidas espejo.
- Neumáticos Pirelli 225/ 40 -18.
- Separadores de ruedas de 2'5mm.
- Suspensión deportiva KW rebajada a 3'5cm.
- Tubo de escape con 4 salidas tipo moto, línea completa artesanal desde los colectores.
- Supresión del catalizador.
- Pintura exterior Candy Azul Cielo y aerografía de color blanco perfilada, con pincel especial en color verde de la marca House Of Kolor.

Interior:
- Asientos y paneles de puertas tapizados en náutica.
- Piezas interiores de plástico pintadas del mismo color azul claro que la carrocería.
- Volante y pedales Isotta.
- Pomo Momo.

Audio:
- Cajón con 2 subwofer de 12''.
- 8 altavoces marca Vieta.
- 2 etapas de potencia.
- 2 twiters.
- Fuente de sonido Alpine.

This car was customized by its owner in his spare time, with the help of his entire family. Dani proudly reveals the seat upholstery to be the work of his mother. The car was officially approved by a mechanical engineer and the total budget rose to some 6,600 euros.

Outside:
Both bumpers have been replaced; the front bumper by that of the Seat León Cupra '07 and the rear bumper by that of the León Cupra '05.
- BMW M-3 side skirts
- BMW E-46.wing mirrors
- Front custom made fibre glass wheel arches in, rear wheel arches from the Opel Calibra
- Lexus tail lights.
- Audi A8 mirror finish wheels trims
- Pirelli 225/ 40 -18 tyres
- 2.5 mm wheel spacers
- KW Sports suspension adjusted to a height of 3.5 cm.
- Exhaust pipe with motorbike outlets, entirely hand crafted right from the manifold.
- Catalytic converter done away with.
- Car exterior painted in Candy Sky Blue with fine white airbrushing, with a special touch in green paint from the House Of Kolor.

Interior:
- Seats and door panels in nautical upholstery.
- Plastic parts inside painted the same colour as the bodywork.
- Isotta steering wheel and pedals.
- Momo gear knob.

Audio:
- 2 12"subwoofer boxes.
- 8 Vieta speakers.
- 2 amplifiers
- 2 tweeters.
- Alpine sound system.

6104 BPB

6104BPB

6104 BPB

Pinzas pintadas en color rojo.

Brake calipers painted red

El habitáculo del coche mantiene la combinación de colores exteriores y los elementos decorativos.

The inside of the car displays the same colour combination and decorative features as the outside bodywork. .

LARA / ALTERNATIVE TUNING
Fotos / Photos: **Alternative Tuning, José Martínez y Santi Triviño**

Ford Focus 1.8 TDCI 100 Cv. Reprogramación del motor a 135 Cv, con un presupuesto aproximado de 50.000 euros.

Exterior:

- Iluminación por led en el chasis.
- Sistema de elevación en el capo.
- Paragolpes delantero de mitsubishi eclipse.
- Capo modificado con una entrada de aire artesanal.
- Faros Fk Automotive 07.
- Antinieblas Micro DE de Hella.
- Kit Xenon 6500k.
- Calandra y rejillas artesanales.
- Sistema de Admisión Green Storm.
- Reprogramación a 135cv Upsolute.
- Carrocería completamente alisada en chapa.
- Techo alisado.
- Taloneras M3 Invertidas.
- Laminado de cristales Energysa en azul ahumado del tipo Mercedes o BMW.
- Llantas ADR Twenty modelo Yakuza Black en 18".
- Neumaticos Cooper Tyres. 225/40/18.
- Paragolpes trasero de Honda S2000
- Alisado completo del porton trasero.
- Faros tipo LED de FK07.
- Antiniebla y marcha atrás modificado lexus.
- 3º luz de freno de Led.

Interior:

- Esferas Kp sport plasma.
- Iluminación por alogenos.
- Tapizado interior en semipiel.
- Baquets Simoni Racing, sobre base de asientos originales.
- Arneses Ektor.
- Volante Simoni Racing.
- Pedales Momo.
- Tirador freno de mano Sparco X-ROAD.
- Pomo Sparco X-RACE.
- Interior Marmolizado.

Audio:

- Integramente MTX y Eclipse.

Y se trata de una de dos Vias separadas delante, movidas 2 a 2 por dos etapas TC4004 de 2x 150rms a 2ohmn instaladas en el interior de cada una de las puertas. Todo el cableado es Dietz y street wires y esta preparado para la competicion de mas alto nivel.

Ford Focus 1.8 TDCI 100 HP. Engine chiptuning to 135 HP, with an approximate budget of 50.000 euros.

Exterior:

- Led lighting on the chassis.
- System for lifting the bonnet.
- Mitsubishi Eclipse front bumper.
- Bonnet fitted with custom made air intake.
- Fk Automotive 07 headlights .
- Hella Micro DE Fog lamps.
- Xenon 6500k Kit.
- Handmade radiator and grilles.
- Green Store Induction kits.
- Upsolute chiptuning to 135 HP.
- Bodywork completely smoothed body panels.
- Roof smoothed.
- M3 Inverterd side skirts.
- Energysa smoked blue laminated windows Mercedes or BMW style.
- ADR Twenty 18" wheels in Yakuza Black.
- Cooper Tyres. 225/40/18.
- Honda S2000 style rear bumpers.
- Completely smoothed tailgate.
- FK07 style LED headlights.
- Lexus style fog lamps and reversing lights.
- 3º led brake lights.

Interior:

- Kp sport plasma spheres.
- Halogen lighting.
- Interior upholstered in semi-hide.
- Simoni Racing seats set on the original bases.
- Ektor harnesses.
- Simoni Racing wheel.
- Momo pedals.
- Sparco X-ROAD hand brake.
- Sparco X-RACE gear knob.
- Marble finish interior.

Audio:

- Entirely MTX and Eclipse.

And is actually one of 2 way splitter 2 by 2 TC4004 2 x 150 rms to 2 ohmn amplifiers installed on the inside of each one of the doors. All wiring is Dietz and street wires and ready to compete at the highest level.

Coustic
MTX
WWW.ALTERNATIVE-TUNING.COM
5228 CKP

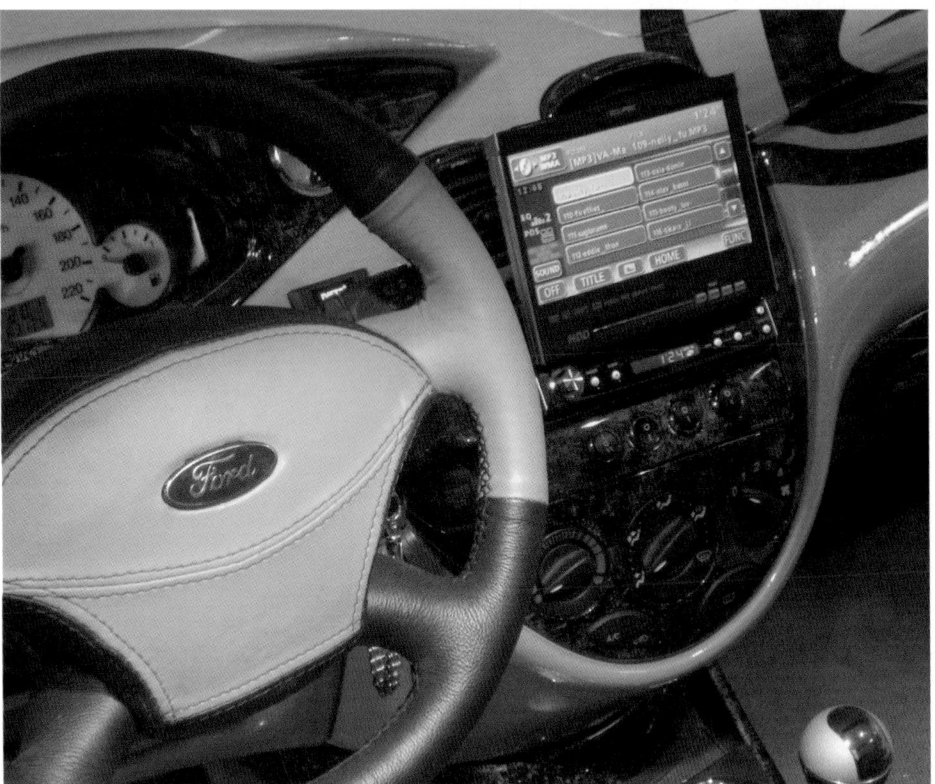
TITLE
HOME
Ford

REDCOM

En las puertas, es visible el sistema de altavoces. The loudspeaker system is visible on all the doors.

Parachoques original del Mitsubishi Eclipse.

Las piezas de plástico y la cobertura parcial del motor tambien han sido pintadas con el colo naranja de la carrocería.

Original Mitsubishi Eclipse bumpers.

The plastic parts and the engine's partial cover is also painted in the same orange as the colour of the bodywork.

toyotaYARIS

EDWARD MINTOFF
Fotos / Photos: **Edward Mintoff**

Desde Malta, Edward muestra su sorprendente Toyota Yaris 1.0 VVT-I, con tubo de escape de acero inoxidable.

Cuerpo:
- Cuerpo a medida.
- Capó modificado.
- Puerta del maletero suavizada.
- Tiradores de las puertas suavizados.
- Intermitentes delanteros suavizados.
- respiraderos en guardabarros delanteros.
- Antena exterior eliminada.
- Pintado en Gris plata con copos perla.
- Frontal Morette con iluminación angel eyes.
- Luces traseras LED, matrículas trucadas.
- Transmisión: STD
- Suspensión: Suspensión por aire.
- Frenos: STD
- Ruedas y neumáticos: 18" Mangles 215/35/18

Interior:
- Eliminados airbags del salpicadero y el volante.
- Salpicadero suavizado.
- paneles de perta a medida con anillos de acero inoxidable a medida, consola central hecha a medida que va desde el salpicadero hasta la instalación trasera a través del asiento trasero modificado.
- Instalaciones a medida en la cabina.
- Todos los paneles interiores, incluido el salpicadero pintados con un toque de negro y marrón.
- Volante mono, freno de mano y cambio automático.
- Tapicería de los asientos hecha a medida.

Audio:
- Unidad Clarion 2 Din.
- Componentes delanteros y traseros 6.5 de Hertz.
- Altavoz central Hertz.
- Amplificador de 4 canales Audison.
- Amplificador monobloque Audison.
- Subwoofer Hertz de 12".
- Instalación de perspex y fibra sobre la instalación con efectos luminosos con LED.
- Monitores en la visera parasol de 9.2".
- Monitores de 8" en los reposacabezas.
- Monitor abatible de 12" custom encajado en la puerta trasera.

From Malta, Edward show his amazing Toyota Yaris 1.0 VVT-I, Stainless Steel Straight Pipe Exhaust.

Bodywork:
- Custom Bodykit.
- Modified bonnet.
- Smoothed tailgate.
- Smoothed door handles.
- Smoothed front indicators.
- Vents grafted in front mudgards.
- Removed aerial and debadged.
- Painted In Silver Grey with Pearl flakes.
- Front Morettes with fitted angel eyes.
- Led's rear lights, Trick Number plates.
- Transmission: STD
- Suspentions: Air Suspentions
- Brakes: STD
- Wheels And Tyres: 18" Mangles 215/35/18

Interior:
- Removed airbags from dashboard and steering wheel.
- Smoothed front dash speakersand airbag.
- Custom made door panels with custom made stainless steel rings, custom made center console that goes from the dash to the rear installation passing through the moddified rear seat.
- Custom made installation in boot.
- All interior panels painted with car colour with a touch of black and maroon including dashboard.
- Momo steering wheel, hand brake and automatic gear nob.
- Custom upholstery seats.

Audio:
- Clarion 2 Din Head unit.
- 6.5 front and rear Hertz Components.
- Hertz Central Speaker.
- 4 Channel Audison Amplifier.
- Mono Block Audison Amplifier.
- 12" Hertz Subwoofer.
- Custom perspex and fiber all over the installation with led lights effect.
- 9.2" monitor Sunvisors.
- 8" Headrest Monitors.
- 12" Flip down monitor custom fitted in the rear door.

El bodykit, el color mate, las pestañas de los faron y los finos radios de las llantas, dotan a este pequeño coche de un aspecto agresivo.

The bodykit, the matt finish, the light flaps and the fine spokes on the wheels, give this little car a more aggressive look.

Detalle de la suspensión neumática autónoma

Independent pneumatic suspension.

TRD 200

Press START button
audison
audison

TOP INTERIOR
CARBONO

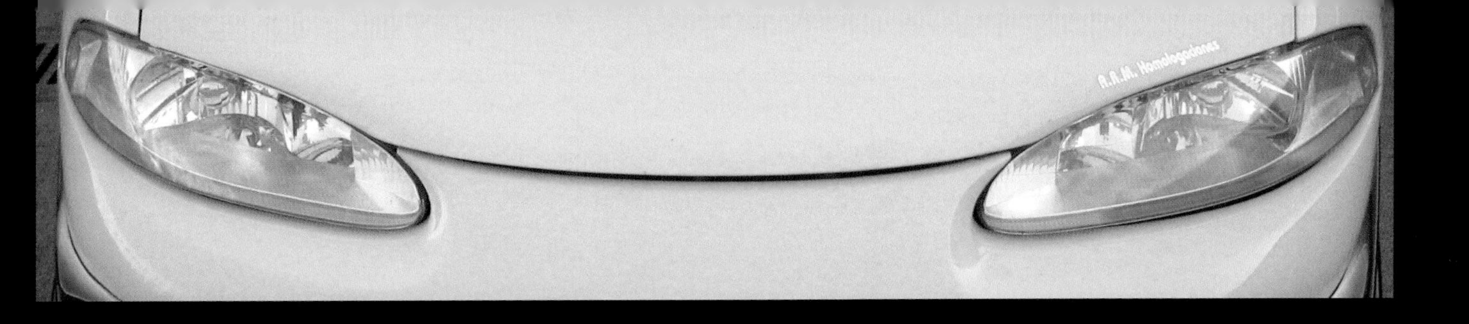

ALBERTO TELMO / FREE WAY
Fotos / Photos: **Santi Triviño**

Mitsubishi Eclipse 2.0, propiedad de Alberto Telmo, presidente de uno de los clubes de tuning más reconocidos de España, Free Way.

Exterior:
- Kit aerodinamico eclipse de Nippontuning.
- Pilotos lexus.
- Llantas ADR EMOTION 19'.
- Aleron battle de wingwest.
- Lunas tintadas.
- Detalles cromados.
- Escape Don Silencioso tipo moto 140mm.

Chasis:
- Amortiguadores Kony.
- Separadores Cesam sport 9mm.

Interior:
- Completo tapizado en blanco y amarillo.
- Volante Issotta.
- Freno mano, pedales y pomo Ghirardy .

Audio:
- Fuente Alpine .
- Amplificador Phyle millenium.
- Altavoces traseros Alpine serie R.
- Kit 2 vias separadas Kenwood + Infinity delanteros.
- Subwoofer Phonocar thunder.

Mitsubishi Eclipse 2.0, property of Alberto Telmo, president of Free Way, one of Spain's most well-known tuning clubs.

Exterior:
- Eclipse aerodynamic tuning kit by Nippontuning.
- Lexus tail lights
- ADR EMOTION 19" wheels
- Battle spoiler by Wingwest
- Tinted mirrors.
- Chromium plated pieces
- Don Silencioso 140mm motorbike exhaust

Chassis:
- Kony shock absorbers
- Cesam sport 9mm spacers

Interior:
- Completely upholstered in white and yellow
- Issotta steering wheel
- Ghirardy hand break, pedals and gear knob.

Audio:
- Alpine sound system
- Pyle millennium amplifier
- Alpine R series rear speakers.
- Kenwood 2 way splitter kit+ infinity front speakers
- Phonocar Thunder Subwoofer

Interior a juego con la carrocería.

Interior to match the bodywork .

Z 8560 BP

TOP INTERIOR
NEED FOR SPEED
CARBONO

La cola de escape de Don Silencioso, sobresale impresionante bajo el faldón trasero.

Exhaust pipe by Don Silencioso, an impressive sight sticking out from beneath the rear skirt.

volkswagenCORRADO

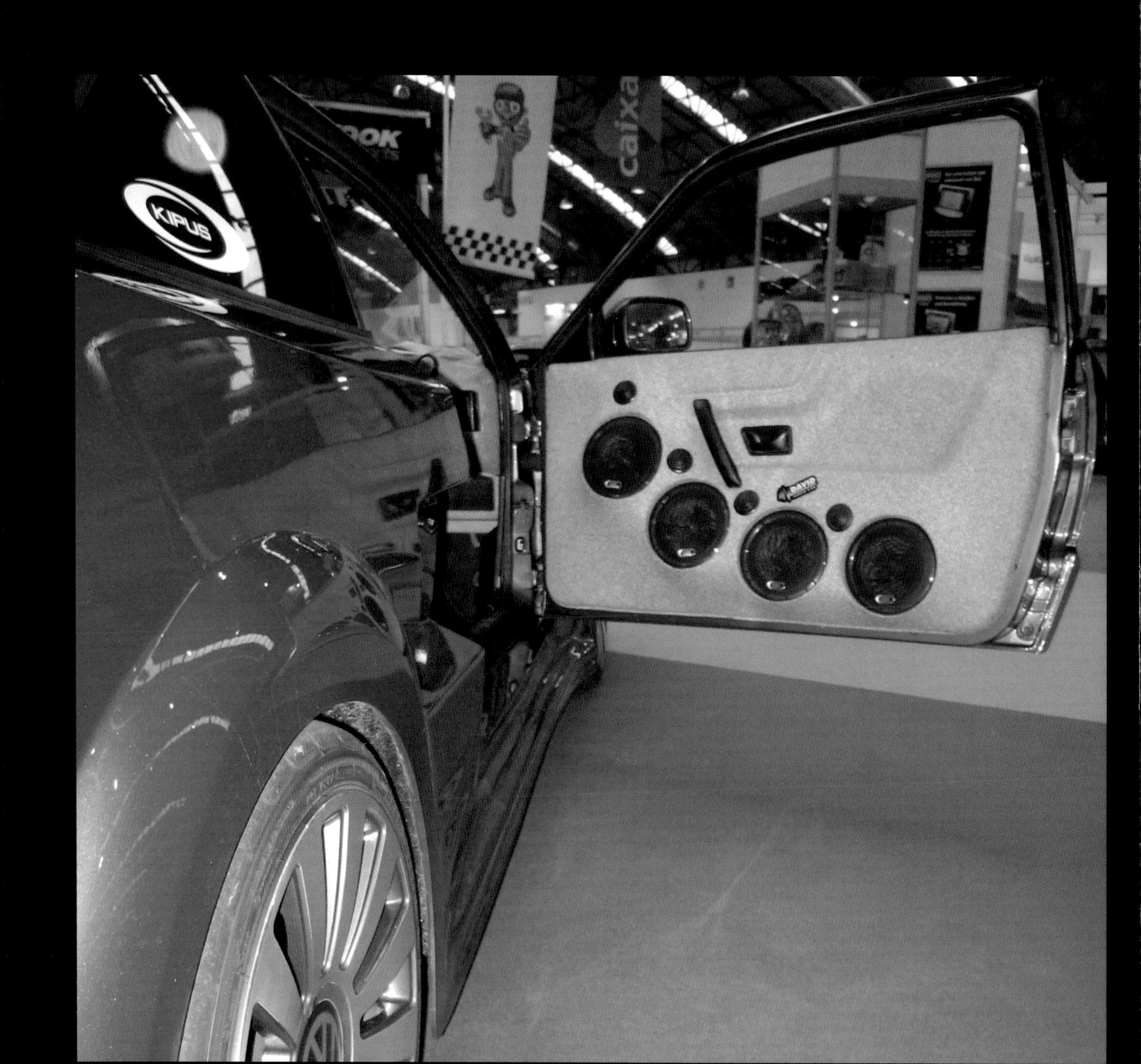

MANUEL ÁNGEL GONZÁLEZ ALONSO / M.A.G
Fotos / Photos: **Santi Triviño**

El coche fue modificado por su propietario en sus horas libres, y homologado por un ingeniero industrial. El presupuesto ascendió a 9000 €.

Exterior:
- Color azul Renault F1.
- Carrocería completa artesanal, incluidas defensa delantera y trasera.
- Faros delanteros SEAT Leon 2005.
- Pilotos traseros Renault Megane Cabrio 2006.
- Llantas A8 pulidas a espejo.
- Neumáticos Pirelli 225/40/17.
- Separadores delanteros y traseros de 70 mm. y reforma del puente trasero de 80 mm más.
- Salidas de escape Ø130 una a cada lado.
- Tapón depósito artesanal.

Chasis:
- Suspensión deportiva KW.
- Suspensión neumática paralela a la de origen con balonas de 6½" detrás y 5½" delante, con válvulas con regulador de caudal.
- Barra de torretas delantera.

Motor:
- Reprogramación +40 C.V. con polea, compresor Ø60 mm.
- Colectores y línea de escape artesanal en inox.
- Arbol de levas.

Interior:
- Salpicadero, paneles puertas y costados interior, en fibra; con cinco relojes: temp., amp., voltímetro, presión turbo, presión aceite.
- Volante Sparco cuero-alcántara pulido espejo.
- Baquets Sparco, tapizados en cuero y alcántara.
- Distanciador volante aluminio pulido artesanal.
- Pintura interior y maletero efecto piedra, compuesta por resinas y escamas sintéticas.

Audio:
- 4 vías separadas, 6" en cada puerta.
- 3 subwoofer de 12" en maletero.
- 2 vías separadas, 5" en maletero.
- 3 etapas 1500 W RMS una para cada subwoofer.
- 3 etapas 4 canales 1000 W RMS.
- Fuente de sonido JVC con pantalla 3.5".
- Transformador 12V-220V y de 220V-24V para neumática.
- 2 baterías de gel.

The owner of this car saw to the tuning work himself, in his own free time and it was officially approved by a mechanical engineer. The budget came to 9000 €.

Exterior:
- Renault F1 blue.
- Bodywork completely customised including front and rear bumpers.
- SEAT Leon 2005 headlights.
- Renault Megane Cabrio 2006 tail lights.
- A8 hi-polish mirror finish wheels.
- Pirelli tyres 225/40/17.
- 70mm front and rear spacers and rear axle extended by 80 mm.
- Ø130 twin exhaust pipe, one each side.
- Customised fuel tank filler cap.

Chassis:
- KW Sport suspension.
- Pneumatic suspension running parallel to the original with 6½" rear and 5½" front cylinders with flow regulated valves.
- Front torsion bar .

Engine:
- Retuned to +40 HP with pulley, Ø60 mm compressor.
- Custom made stainless steel manifold and exhaust.
- Camshaft.

Interior:
- Fibre glass dashboard, door panels and sides with five gauges: temperature amps., volts, turbo pressure, oil pressure.
- Sparco leather steering wheel - Alcantara polished mirror finish.
- Sparco bucket seats covered in leather and Alcantara.
- Custom made polished aluminium steering wheel adaptor.
- Interior and boot in pebble effect paint created with resins and artificial shards.

Audio:
- 6" four way speaker on each door.
- Three 12" subwoofers in the boot.
- 5" four way speakers in the boot.
- Three 1500 W RMS amplifier, one for each subwoofer.
- Three 4 channel 1000 W RMS amplifiers.
- JVC sound system with 3.5" screen.
- 12V-220V and 220V-24V pneumatic transformer.
- 2 gel batteries.

BC CORONA
KIPL

P0433ZAH

A pesar de tener el equipo de audio perfectamente integrado en el maletero, el propietario de este volkswagen tiene la intención de transformarlo en un deportivo biplaza, para, con ello aprovechar el espacio del banco trasero y añadir más accesorios de sonido

In spite of having the audio equipment perfectly built-in the car boot, the owner of this Volkswagon has the intention of transforming the car into a sporty two-seater and therefore be able to make use of the rear seating space to add more sound equipment..

DAVID
DAVID
KIPUS

peugeot206FUGITIVO

CLAUDIO MARCELO MALDONADO
Fotos / Photos: **Claudio Marcelo Maldonado**

Peugeot 206 XS ABS TYPAGE 2, del año 2004, desde La Tierra del Fuego en Argentina.

Exterior:
- Faldones rally DESIGNCAR.
- Portón trasero alisado.
- Ensanche de guardabarros.
- Paragolpe delantero PLASTICORD y trasero MINIU PINTURAS.
- Puertas de apertura vertical de GAVIOTDOORS.
- Faros altezza fondo negro y faro antiniebla altezza cromado de YCC.
- Parrilla cromada AUTOBACS.
- Moldura de paragolpe cromadas y molduras de puertas AUTOBACS.
- Guiño cromado con marco cromado AUTOBACS.
- Ojos de ángel fondo negro
- Llantas 17" O.Z Ultraleggera y neumáticos KHUMO 205/40/R17.
- Suspensión regulable en altura KR.
- Kit Neón bajo carrocería color púrpura
- Espejos Z3 cromados.

Interior:
- Tablero cambio de agujas de color azul y aros cromados KP SPORT.
- Pedales, apoya pie, cerquillo, pomo, cuffia, volante X5 y zócalos todo SIMONI RACING.
- Interior pintado de blanco bicapa y tapizado de color negro, butacas AUTOBACS tapizadas de negro y blanco.

Motor:
- Múltiple de escape cromado y segunda cola cromada TKNO.
- ½ equipo de 2" con doble salida CLINICA DEL ESCAPE de acero aluminizado.
- Kit de fuego de escape SAPUN RACING (Buenos Aires).
- Kit admisión directa SIMOTA, barra de torsión cromada.

Audio:
- Stereo PIONEER DVH-5850MP.
- Pantalla B52 de techo de 8" y pantalla JETWAY de 17", Playstation 2.
- Potencia MTX MXA 8001 y KENWOOD 1200w.
- 2 subwoofer AUDIO PIPE TXX-AP15 de 15" 2000w, 2 tweeter bala de 500w, 2 componentes AUDIOPIPE de 100rms, 2 drivers SELENIUM de 100rms; capacitor de 1 Far. AUDIO PIPE.
- Kit de conexión AUDIO PIPE.
- Neón de color púrpura.

Peugeot 206 XS ABS TYPAGE 2, from 2004, from the Tierra del Fuego national park in Argentina.

Exterior:
- DESIGNCAR rally skirts.
- Smoothed tailgate.
- Wider mud flaps.
- Front bumper by PLASTICORD and rear bumber by MINIU PINTURAS.
- Vertical opening door kits by GAVIOTDOORS.
- Altezza black background headlights and Altezza chrome fog lamps by YCC.
- Chrome radiator grill by AUTOBACS.
- AUTOBACS chromed bumper frame and chromed door frames.
- Chrome eyelids with chrome AUTOBACS frame.
- Black background Angel Eyes.
- O.Z Ultraleggera 17" wheels with KHUMO 205/40/R17 tyres.
- KR. height adjustable suspension.
- Purple Neon lighting under body kit.
- Z3 Chrome mirrors.

Interior:
- Dashboard with KP SPORT chrome dashboard rings and blue needles.
- Pedals , footrest, surround, gear knob, X5 steering wheel and pedestal all by SIMONI RACING.
- Interior in white twin-coat paint with black upholstery and AUTOBACS seats in black and white.

Engine:
- Multiple chrome exhaust and second chrome pipe by TKNO.
- ½ of 2" system with twin pipe exhaust in aluminized steel by CLINICA DEL ESCAPE.
- Flame exhaust kit by SAPUN RACING (Buenos Aires).
- Direct induction kit by SIMOTA, chrome torsion bar.

Audio:
- PIONEER DVH-5850MP Stereo.
- B52 8" roof screen and JETWAY 17" screen Playstation 2. MTX MXA 8001 power and 1200w KENWOOD speakers.
- 2 AUDIO PIPE TXX-AP15 15" 2000w subwoofers, 2 500w bullet tweeters, 2 100rms AUDIOPIPE, 2 SELENIUM 100rms drivers; 1 Farad electric capacitor AUDIO PIPE.
- AUDIO PIPE connection kit.
- Purple neon lighting.

ERE 107
el Garage

La parrilla le otorga un aspecto agresivo

The radiator grill gives the car a more aggressive look

Interiores bicolor

Two-tone interiors

El Fugitivo

citroënC4

PACO BARRANCO
Fotos / Photos: **Paco Barranco**

Este Citroën C4 de Valencia, modelo de serie original LX, presenta un diseño exquisito de estilo sobrio, sin estridencias, y a la vez llamativo.

Exterior:

- Llantas Koya GTR4 combinadas en color carrocería y cromo.
- Suspensión completa de cuerpo roscado Bilstein.
- Pilotos tipo Lexus de fondo negro con bombillas de leds.
- Techo y portón alisado y pintado negro mate.
- Escape artesanal Don Silencioso de doble salida central de 85mm.
- Chevrones pintados en negro mate.
- Molduras y manetas en negro mate.
- Flashes tipo ambulancia en focos antiniebla.
- Kit de neones exteriores de 7 colores y varias funciones.
- Sirena con varios sonidos.

Interior:

- Habitáculo combinado en color carrocería, cromo y negro mate.

This Citroën C4 from Valencia, an original LX model, displays an exquisite subtle design, without being flashy yet at the same time bright.

Exterior:

- Koya GTR4 wheels in the same colour as the bodywork combined with chrome.
- Full suspension with threaded body by Bilstein.
- Lexus black tail lights with led bulbs.
- Roof and tailgate smoothed and painted in black matt paint.
- Don Silencioso custom made central 85mm twin pipe exhaust.
- Chevrons painted in black matt.
- Black matt frames and handles.
- Ambulance like flashing lights in fog lights.
- Exterior neon lights kit in 7 colours and various modes.
- Siren with various sounds.

Interior:

- Car inside in a combination to match bodywork colour with chrome and black matt.

Faros tipo Lexus. Lexus light type.

9186 DYV

SARA RODRÍGUEZ GARCÍA
Fotos / Photos: **Sara Rodríguez García**

"Una abeja nunca te picaría por hacer daño, sino porqué antes tu le hiciste daño a ella." Con estas palabras presenta Sara su coche.

Las modificaciones son íntegramente interiores, de los que se ha conservado la tapicería y algunas piezas de serie. No por ello y por tratarse de un modelo menor, deja de ser interesante para presentarlo.

Interior:

- Tapizado de cuero negro en el salpicadero, parte inferior del cambio, puertas traseras y parte superior de las delanteras.
- Aerografía personalizada de abejas en el salpicadero, puertas traseras y superior delantera en amarillo y naranja; gris y naranja en la zona inferior del cambio de marchas, y, difuminada en la guantera.
- Tapizado de polipiel naranja en techo y suelo.
- Piezas del salpicadero, pintadas en naranja, como las rejillas de aire, cuentakilómetros, botones, etc.
- En amarillo se han pintado la parte superior de los cinturones, inferiores de puertas, piloto de alarma, marco de luz, y agarraderas.
- Los tapones cubrecables, se han pintado en negro.
- Estrellas decorativas plateadas en el techo.
- Esferas personalizadas de Garfield con el nombre de la propietaria.
- Pedales de aluminio Momo rojos y amarillos.
- Alfombrillas y reposapies cromadas Ghirardi.
- Volante y pomo Isotta .
- Tubos de neon azules a ritmo de la música.
- Retrovisor cromado con forma de llamas.
- Cristales tintados Solar-check.
- Bandeja tapizada de color amarillo.

Audio:

- Radio cd-mp3 Panasonic 75w.
- 2 Cajones abiertos para subwoofer de 10".
- 1 Subwoofer xplo de 800w y 10".
- 1 Subwoofer bumper de 800w y 10".
- 1 Etapa Cadence de 1000w.
- 1 Etapa Zac de 1500w.
- 4 ovalados MTX en bandeja.
- 4 cadence naranjas, dos en puertas delanteras y dos en traseras.
- 2 Tweeter Cadence en puertas delanteras.
- Condensador Cadence.

"A bee never stings to hurt but only in self defence if you hurt it first". These are the words with which Sara chooses to introduce to her car.

This car's tuning is essentially confined to the interiors of which the original upholstery and some other standard features have been preserved. That doesn't make this any less of an example nor is it any reason not to put this car on show.

Interior:

- The dashboard, below the gear stick, the rear doors and the top of the front seats all covered in black leather..
- Airbrushed graphics depicting bees on the dashboard, rear doors and top of the front seats in yellow and orange, grey and orange beneath the gear stick and fading in to the glove box.
- Ceiling and floor covered in orange artificial skin.
- Parts of the dashboard painted orange, such as air vents, speedo, switches, etc.
- The section above the seat belts, below the doors, the warning light, light casing and hand holds are all painted in yellow.
- The cable sleeve caps have been painted black.
- Silvery decorative stars on the ceiling.
- Garfield faces customised with the owner's name.
- Red and yellow aluminium pedals by Momo.
- Floor mats and chromed footrests by Ghirardi.
- Isotta steering wheel and gear knob.
- Blue neon strip lights to flash in time to the music.
- Flame shaped chrome rear-view mirror.
- Solar-check tinted glass.
- Rear shelf upholstered in yellow.

Audio:

- Panasonic 75w Radio CD-MP3.
- 2 open drawers for 10" subwoofer.
- 1 Xplo 10" 800w Subwoofer.
- 1 10" Subwoofer bumper 800w.
- 1 Cadence amplifier 1000w.
- 1 Zac amplifier 1500w.
- 4 oval MTX on rear shelf.
- 4 Cadence orange speakers, two on the front doors and two on the rear doors.
- 2 Cadence Tweeters on the front doors.
- Cadence capacitor

SARA

La elección de colores y su combinación, demuestra el buen gusto de la propietaria en la decoración de su Picanto.

The choice of colours and way they have been combined demonstrate the owner's excellent taste when it came to tuning her Picanto.

La Abeja Maya preparada para el viaje. ¡Pónte el cinturón!

"Maya, the Honey Bee" is ready to hit the road. Fasten your seat belts!

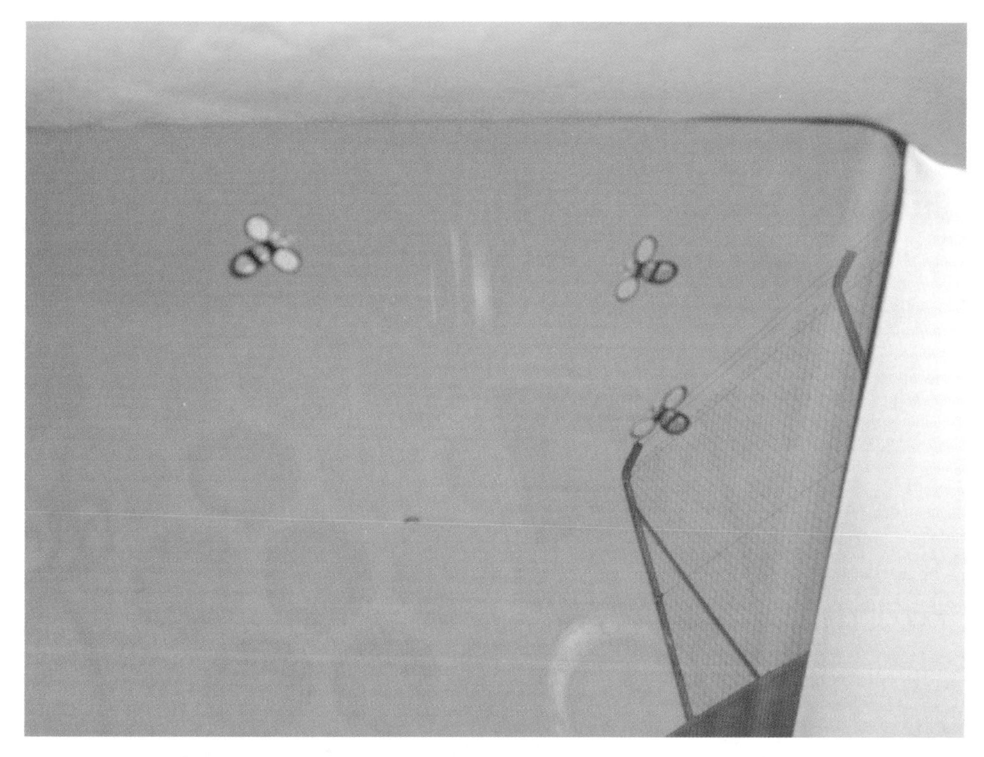

Pegatinas de abejas en la ventana del portón. Hasta el último detalle...

Bee stickers on the tailgate window. Everything seen to down to the finest detail....

A pesar de ser un coche pequeño, Sara encontró ideal el respaldo del asiento posterior para colocar las etapas.

In spite of this being a small car, Sara found the back of the rear seats the ideal place to install the amplifiers.

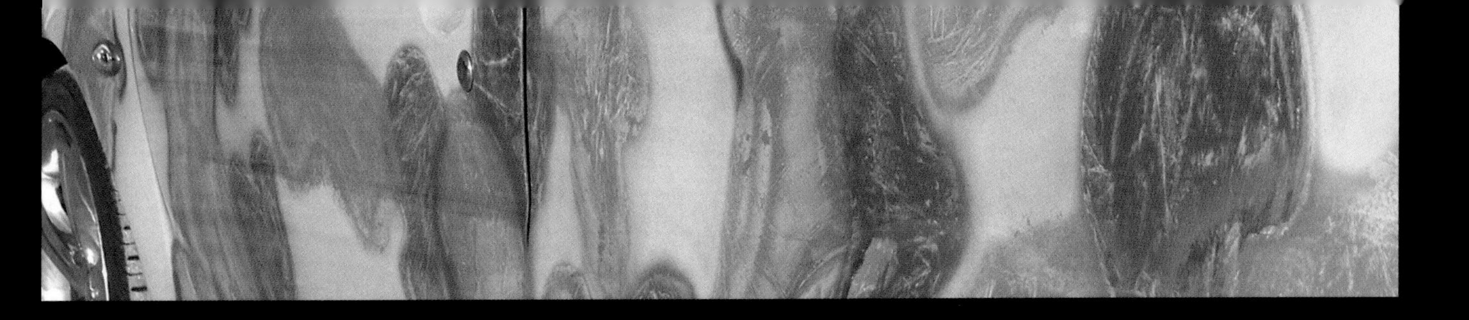

ÓSCAR GÓMEZ / ÁLVAREZ CALOTO TUNING
Fotos / Photos: **José Martínez**

Este peugeuot 206, propiedad de un joven gallego, destaca por la originalidad de su pintura.

Exterior:
- Estructura monoblock, paragolpes delantero radikal skyline, paragolpes trasero y taloneras de carzone, pasos de rueda artesanales con ensanche de 3 cm en chapa.
- Alisado de puertas y alargado de capo en chapa.
- Espejos M3, alerón, máscaras en faros traseros.
- Pintura en 3 colores beige bmw, marron claro porsche, marron oscuro de bmw, barniz tricapa.
- Rejilla framling.
- Antena de aluminio.
- Lunas tintadas.
- Tapon del depósito Sparco.

Interior:
- Tapizado de asientos y paneles de puertas en polipiel beige.
- Salpicadero pintado en beige.
- Piña de volante, palanca de freno de mano y pedales momo.
- Volante y reposabrazos isotta.
- Moqueta marron.
- Alfombrillas ghirandi.
- Relojes de timex.
- Espejo custom.

Chasis y mecanica:
- Escape carbono tipo moto.
- Amortiguadores selex y muelles apex.
- Llantas quicker de cesam y neumaticos pirelli p0 nero 205/40/17.
- Barra estabilizadora omp.
- Filtro green.

Audio y video:
- Fuente sony cdx-ca680x.
- dos twiter sony.
- dos vias separadas delanteras sony y dos 6x9 sony
- Etapa sony xplod 4x150 w
- subwoofer sony xplod 1300 w
- Dvd sony y PS2

Iluminación:
- 22 neones interiores, 4 flashes y 4 neones exteriores.

The property of a young Galician, this Peugeot 206 stands out for its original paintwork.

Exterior:
- Monoblock structure, front bumper Radikal, Skyline rear bumper and skirts by Carzone, wheel arches widened by 3 cm in metal.
- Doors smoothed and bonnet extended in metal.
- M3 mirrors, spoiler, rear light masks.
- Triple glazed, tri-colour paintwork, BMW beige, Porsche light brown, BMW dark brown.
- Framling radiator grill.
- Aluminium antenna.
- Tinted windows.
- Sparco fuel tank filler cap.

Interior:
- Seats and door panels upholstered in beige artificial skin.
- Dashboard painted beige.
- Steering wheel hub adaptor, handbrake lever and pedals all by Momo.
- Steering wheel and armrests by Isotta.
- Brown carpet.
- Ghirandi floor mats.
- Timex clocks.
- Custom mirror.

Chassis and mechanics:
- Carbon fibre motorbike exhaust.
- Selex shock absorbers and Apex springs.
- Cesam Quicker wheels and Pirelli tyres p0 Nero 205/40/17.
- Omp stabilizer bar.
- Green filter.

Audio and video:
- Sony CDX-CA680X sound system.
- Two Sony tweeters.
- Sony two way front speakers and two Sony 6x9 speakers.
- Sony Xplod 4x150 amplifier.
- Sony Xplod 1300w subwoofer.
- Sony DVD and PS2.

Lighting:
- 22 inside neon lights, 4 flashing lights and 4 exterior neon lights.

La pintura del coche recuerda a los aros de los árboles una vez cortado el tronco. Es interesante apreciar el cambio de color en función de la reflexividad de los rayos lumínicos.

The car's paintwork is reminiscent of the tree rings visible once the truck has been cut. It's interesting to see how the colour changes depending on reflections from the light rays.

E
8744 DHX
AlvarezCaloto

by ALVAREZ CALOTO

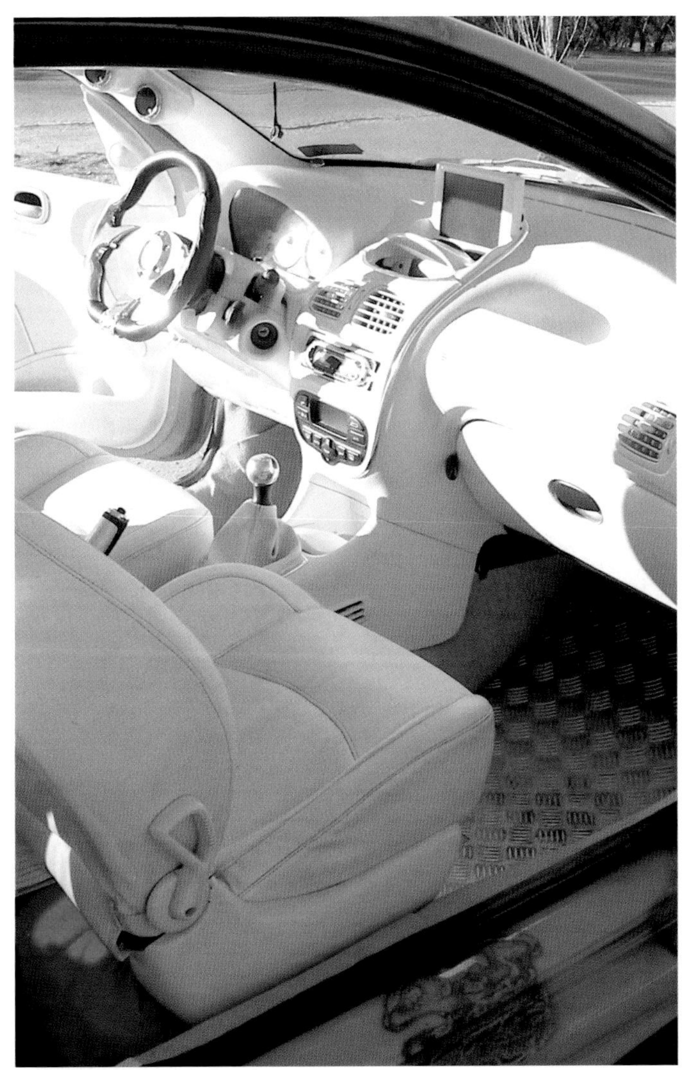

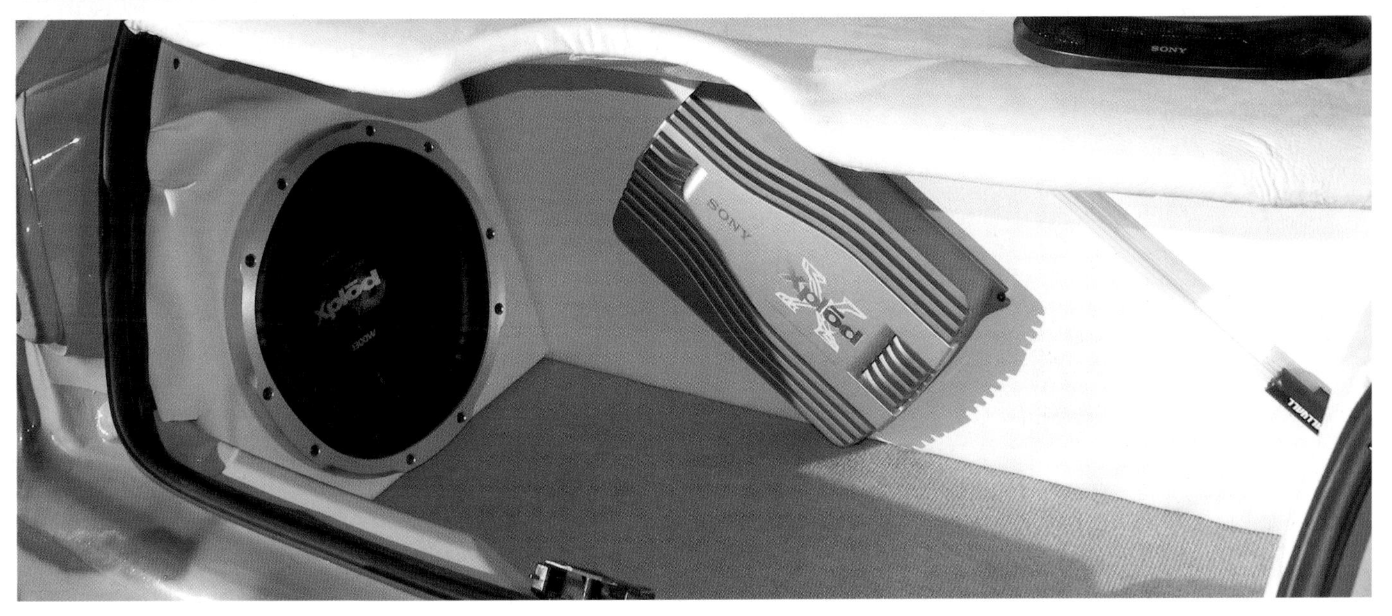
SONY
SONY
Xplod

Lowered
Lowered
ALPINE
ALPINE
ALPINE
www.BESTMAK.com

XAVI PÉREZ / XAVIER GIL [LOWERED]
Fotos / Photos: **Santi Triviño**

En varios coches de este libro, se menciona la suspensión neumática tipo lowered. Sirva este Alfa Romeo 156 SW de muestra para explicar de una manera sencilla el funcionamiento de este sistema.

Cabe destacar que ésta es la tercera suspensión que se monta en este coche. Antes llevaba una suspensión deportiva pero se tuvo que cambiar porque el coche se quedaba muy bajo y no entraba en según qué aparcamientos. Después se puso una suspensión neumática con control independiente de las 4 ruedas por un precio bastante reducido y claro, lo barato a veces sale caro... No paraba de tener problemas hasta que lo miró un experto (para mí el mejor -explica el propietario) en suspensiones como es Xavi Gil de "Lowered", en Sant Cugat Sesgarrigues (Barcelona). El montaje anterior era tan malo que había que cambiar toda la suspensión.

Fue entonces cuando se le dió a elegir entre dos opciones: una fácil y otra un tanto complicada.

- La primera era sencilla: cambiar todo lo que llevaba por piezas similares aunque de más calidad y bien montadas para que no hubiera más problemas. Esto implicaba montar unas valonas (amortiguadores neumáticos) muy pequeñas delante debido al poco espacio que tiene el coche para cada amortiguador delantero.

Como el motor de este coche pesa muchísimo, las valonas no tendrían mucha fuerza para subir y bajar el coche de forma rápida y espectacular, que al fin y al cabo es lo que gusta a todos los que tenemos este tipo de suspensiones.

- La segunda opción era más complicada, sobre todo desde el punto de vista técnico, pero se conseguiría la fuerza que faltaba delante para subir y bajar el coche rápidamente: cuando Xavi Gil comentó que iba a meter los amortiguadores delanteros en el maletero, el propietario de este Alfa Romeo no conseguía entenderlo...

Puso una barra entre los subwoofers (de lado a lado del maletero), para sujetar dos valonas mucho más grandes que las que cabían en el hueco delantero. Cada valona va soldada a un pistón hidráulico y de cada pistón sale un tubo de alta presión de aceite que se dirige hacia otro pistón hidráulico colocado en el hueco del amortiguador delantero (sin muelles, aunque modificando los brazos de suspensión). Así, pues, el sistema funciona de la siguiente manera: dos compresores producen aire, que se va acumulando en un tanque de aire comprimido, todo esto situado estratégicamente en el maletero. Al lado del tanque están las válvulas, que distribuyen el aire hacia las 4 valonas según

Lowered pneumatic suspension is one of the features spoken of in several of the cars in this book. This Alfa Romeo 156 SW serves to demonstrate in a simple way just how this system works.

It has to be said that this is actually the third suspension system this car has been fitted with. The sports suspension previously fitted proved to be too low to be able to enter some car parks. Pneumatic suspension was then fitted with independent controls to all four wheels for a relatively cheap price, and as we all know, often what starts off relatively inexpensive often turns out to be the most expensive... the problems came one after another until it was seen by an expert in lowered suspension (the best according to the owner) as is Xavi Gil, in Sant Cugat Sesgarrigues (Barcelona). The previous system had been so badly fitted that the entire suspension system had to be changed.

At this time there came a choice of two options: one simple and the other fairly complex.

- The first solution was simple: change all the parts fitted for similar parts but of a better quality and correctly fitted to avoid any further problems. This involved fitting some very small pneumatic shock absorbers on account of the little space available for the front shock absorbers.

As this car's engine was so heavy the pneumatic shock absorbers would not be powerful enough to be able to raise and lower the car in a manner which was both rapid and spectacular, which in the end is what we all want from this type of suspension.

- The second option was more complex, particularly from a technical point of view, but it would achieve the force needed to rapidly raise and lower the car but when Xavi Gil mentioned he was going to install the front shock absorbers in the boot, the owner of this Alfa Romeo was somewhat confused...

A rod was to be placed between the (from one side of the boot to the other), to attach two pneumatic shock absorbers, very much larger than those which would fit in the space at the front. Each pneumatic shock absorber is welded to a hydraulic piston connected to a high pressure oil cylinder linked to another hydraulic piston in the front shock absorber cylinder (without coil springs but with modifications to the suspension arms). Consequently, the system works as follows: air is produced by two compressors which then builds up in a compressed air tank, all strategically located in the boot. Alongside the tank are the valves which supply the air to the 4 pneumatic shock absorbers just as

queramos nosotros ya que el sistema es independiente a las 4 ruedas (se puede subir de un lado y bajar del otro, subir de delante y bajar de atrás...). Las dos valonas traseras están situadas en los huecos de los amortiguadores traseros o sea que su funcionamiento es el normal (si damos aire se sube el coche y si quitamos aire se baja). Cuando damos aire a una valona de las del maletero, ésta se extiende y lo que hace es empujar el aceite que hay en el pistón hidráulico situado inmediatamente. Cuando esto sucede la presión de aceite aumenta y como el circuito de aceite llega hasta el pistón situado en el hueco del amortiguador delantero, éste hace subir el coche. Cuando quitamos aire a la valona, ésta se comprime y lo que hace es reducir la presión de aceite del circuito hidráulico, con lo que el pistón situado en el hueco del amortiguador delantero baja el coche por esa parte.

Evidentemente, está claro que se eligió esta última opción. El coche lleva un sistema de suspensión híbrido (entre neumático e hidráulico), con todas y cada una de las piezas hechas de forma artesanal, único en el mundo. Es un prototipo hecho por las manos del que es el mejor especialista del mundo en suspensiones neumáticas: el Sr. Xavi Gil.

Y también hay que añadir a este montaje, para hacerlo más espectacular, el "portón neumático". El portón del maletero se abre también con el mando de la suspensión, ya que se han substituido los pequeños amortiguadores por dos cilindros neumáticos, conectados a todo el circuito neumático.

we like, the system being independent to each of the four wheels (one side can be raised whilst the other is lowered, the front can be raised whilst the back is lowered and so on...). The two rear pneumatic shock absorbers are set in the rear shock absorber shaft cylinder, in other words they operate as normal (if we increase the air pressure the car is raised and if we reduce the air pressure the car is lowered). When we increase the air pressure in those in the boot, the cylinder extends and forces the oil which is in the hydraulic piston next to it. The oil pressure is then increased and the oil is forced into the front shock absorber cylinders to make the car rise. When we reduce the air pressure in the pneumatic shock absorber, this compresses and reduces the oil pressure in the hydraulic circuit causing the piston in the front shock absorber cylinder to lower the car at this point.

Obviously, it's quite clear the chosen option was the latter. The car's suspension system is actually a hybrid (between pneumatic and hydraulic), with each and every part custom made and literally unique worldwide. This is a prototype created at the hands of the world's greatest expert in pneumatic suspension systems: Mr. Xavi Gil.

To make it even more spectacular this car also comes with a "pneumatic tailgate". Since the small shock absorbers have been replaced by two pneumatic cylinders connected to the entire pneumatic circuit, the tailgate is also opened by means of the suspension control.

FALKEN
6104BPB
Gulliver

Gulliver

El Jefe
2604 DNB

TOP BOOK

Todas las concentraciones y exhibiciones tienen sus concursos TOP, donde se premian los mejores coches en las especificaciones propuestas. Siguiendo esos parámetros, presentamos en este capítulo, las mejores preparaciones de todas las recopiladas, ya sea por su interior, como por el exterior; por su originalidad, por la creatividad, etc.

All meetings and shows have their TOP events, where the cars are awarded for being nominated the best cars according to specific specifications. Respecting these parameters, in this chapter we present the finest specimens of the entire collection, whether for the inside or the outside of the car, for their originality, creativity, etc.

citroënC3BARBIECAR

MANUEL RODRÍGUEZ POZA
Fotos / Photos: **Santi Triviño**

La idea original del propietario era transformar el C3 en un VW escarabajo clásico, pero su falta de experiencia como preparador profesional le hizo abandonar el proyecto ya empezado y aprovechando la pintura fucsia recién aplicada, Manolo y sus amigos 'Fiti' Salva, 'Molina' Jose y 'Tanga Man' Raúl, tras una lluvia de ideas decidieron romper el mito de la barbie perfecta. Unos 20.000 euros entre materiales y mano de obra.

Exterior:
Diseñado por 'Blond' Raul, el coste de la personalización exterior alcanzó los 12.000 €.
- Llantas Boor 17" cromadas.
- Gomas 205/45/17.
- Alisado de puertas, portón y parachoques.
- Alargamiento del capó al estilo del VW Escarabajo clásico.
- Añadido artesanal de parachoques Audi A3 delanteros y traseros.
- Pintura exclusica rosa booble perlado.
- Aerografía en maletero.
- Kit cromado.
- Faros tipo Lexus.
- Neones de suelo rojos.
- Tubos estilo moto.
- Cristales tintados Grey Mirror.

Interior:
- Asientos tapizados en polipiel lisa de color crema.
- Puertas y maletero pintadas en color crema y tapizadas con peluche rosa.
- Salpicadero color crema con vinilo barnizado.
- Pomo West Coste.
- Montantes pintados en crema.

Multimedia:
3.800 € de inversión en este apartado.
- Radio Monitor 7" Alpine, DVD.
- Etapas Holywood y Mac Audio.
- Altavoces delantero twiter Ample y woofer Ample.
- Sub Hertz en maletero.
- Monitor de techo 7,5".
- Cámara de visión nocturna en color.

The owner's original idea was to transform the C3 into a classic VW Beetle, but his lack of experience as a professional tuner made him abandon the original project once it was already started and, making the most of the recently applied fuchsia coloured paint, Manolo and his friends 'Fiti' Salva, 'Molina' Jose and 'Tanga Man' Raúl, decided, after coming up with a deluge of ideas, to break with the myth of the perfect Barbie doll. The cost, 20,000 euros in materials and labour.

Exterior:
Designed by 'Blond' Raul, the cost of customising the car exterior came to 12,000€
- Boor 17" chrome wheels.
- Tyres 205/45/17.
- Doors, tailgate bumpers all smoothed.
- Bonnet extended in the style of the classic VW Beetle.
- Audi A3 custom front and rear bumpers added.
- Exclusive Barbie pink beaded paint.
- Airbrushing in boot.
- Chrome kit.
- Lexus headlights .
- Red floor neon lights.
- Motorbike style exhaust pipes.
- Grey Mirror tinted windows.

Interior:
- Seats upholstered in plain cream coloured artificial hide.
- Doors and boot painted in cream and upholstered in plush pink.
- Cream coloured vinyl glazed dashboard.
- West Coast gear knob.
- Cream painted.frames.

Multimedia:
3.800 € invested in this section.
- Alpine 7" Radio Display, DVD.
- Holywood and Mac amplifiers.
- Ample tweeter and Ample woofer front speakers.
- Sub Hertz in boot.
- 7.5" ceiling monitor.
- Colour night vision camera.

Vinyl glazed dashboard

SE VENDE
9114 CNY

SE VENDE
9114 CNY

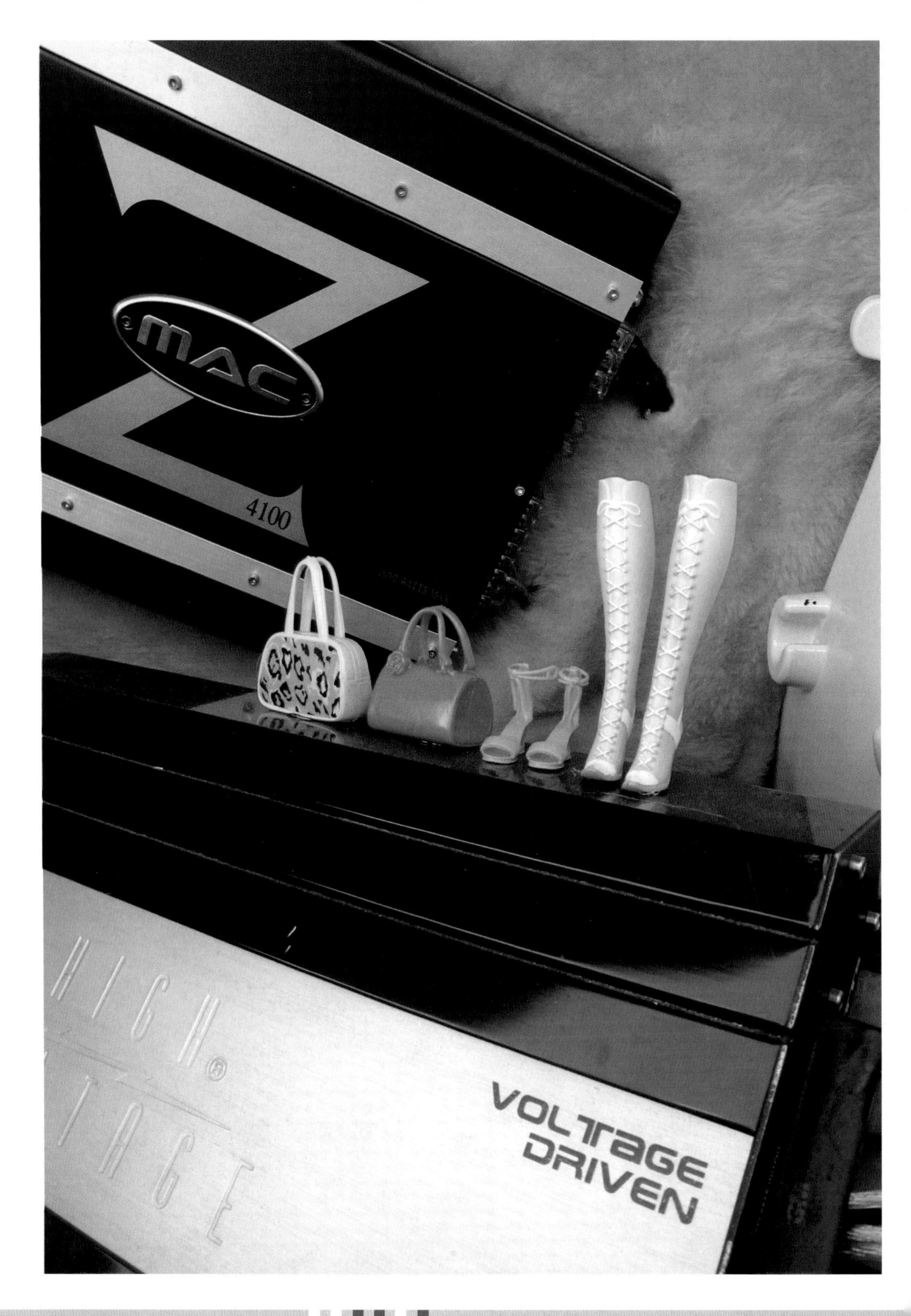
MAC
4100
HIGH VOLTAGE®
VOLTAGE DRIVEN

Los apoyacabezas han sido reemplazados por muñecas.

The headrests are all replaced by dolls.

Una barbie estrellada en el parabrisas del coche. Sobre estas lineas, se observa desde el habitáculo del coche.
En la página siguiente se observa desde el exterior.

A Barbie is sprawled across the car windscreen. Above a view of the inside of the car.
On the following page a view of the outside of the car.

El rosa y el amarillo con referencias a la Barbie, predominan en el interior del coche.

The colours pink and yellow with references to Barbie predominate on the inside of the car

Salpicadero con vinilo barnizado

Vinyl glazed dashboard

Los estereotipos de la Barbie han sido claramente derrotados por este coche.

Barbie stereotypes are clearly beaten by this car...

chrysler300CVIP

DUB STYLE LUXURY CARS
Fotos / Photos: **Sergio Ross**

DUB STYLE LUXURY CARS, nace en 2004 con ideas claras, ilusión y mucha seriedad, que se hace un hueco en el panorama nacional gracias a su famoso Seat Leon, ganando en un mismo año todos los eventos a nivel nacional e internacional. Una visita a Chip Foose, uno de los mejores preparadores del mundo, genera un cambio radical en el concepto de personalización, llevándoles a ser extremadamente exigentes y detallistas. En 2006 sale de sus instalaciones este precioso Chrysler 300C, que ayudó a cerrar muchas bocas críticas que no veian factible este estilo en España.
"A veces vives para soñar y hay veces que sueñas para poder seguir viviendo", nos comenta Manel.

Exterior:
- Calandra artesanal "By Dub Style".
- Colas de escape.
- Tintado de lunas "Solar-Check".
- Icedoutemz "Chapas de 22" en acabado diamantes y VIP".
- Llantas Zenetti Spartan 22" Black.
- Neumáticos Hankook 255/30/22.
- Separadores de rueda de 2 cm "Spacer Copuch".
- Suspensión neumática Lowered "Heavy Drop".

Interior:
- Tapicería de piel, color negro y perforada (al estilo del Mercedes AMG).

Multimedia:
- Monitor Alpine IVA 200RI con pantalla táctil.
- Pantalla trasera Alpine.
- Kit de puertas vias separadas de 6" Dub Mag Audio.
- Subwoofer 12" Dub Mag Audio.
- Amplificador 5 canales Dub Mag Audio.

DUB STYLE LUXURY CARS, was set up in 2004 with very clear ideas, enthusiasm and a serious approach to creating a niche for themselves on the national scene with their famous Seat Leon, that very same year having won all the awards on both a national and international level. A visit to Chip Foose, one of the best custom car designers in the world, generates a radical change as far as the concept of customisation goes, taking the whole concept to extremely demanding and meticulous levels. This exquisite Chrysler 300C came out of their workshops in 2006 and helped to close the mouths of many critics who didn't believe this style viable in Spain.
"At times we live to dream and at other times we have to have a dream to continue to live" comments Manel.

Exterior:
- Custom radiator grille "By Dub Style".
- Exhaust pipes
- "Solar-Check" tinted windows
- Icedoutemz "Bodywork 22" with VIP diamond finish
- Zenetti Spartan 22" Black wheels
- Hankook tyres 255/30/22.
- "Spacer Copuch" 2cm wheel spacers
- "Heavy Drop" Lowered pneumatic suspension

Interior:
- Black perforated leather upholstery (as in the Mercedes AMG).

Multimedia:
- Alpine IVA 200RI display with tactile screen
- Alpine back screen
- Dub Mag Audio 6" 2 way speakers kit
- Dub Mag Audio 12" Subwoofer
- Dub Mag Audio 5 channel amplifier

Las grandes llantas de 22 pulgadas negras del coche le dan una personalidad exquisita.

The large black 22 inch wheels give this car a very special personality.

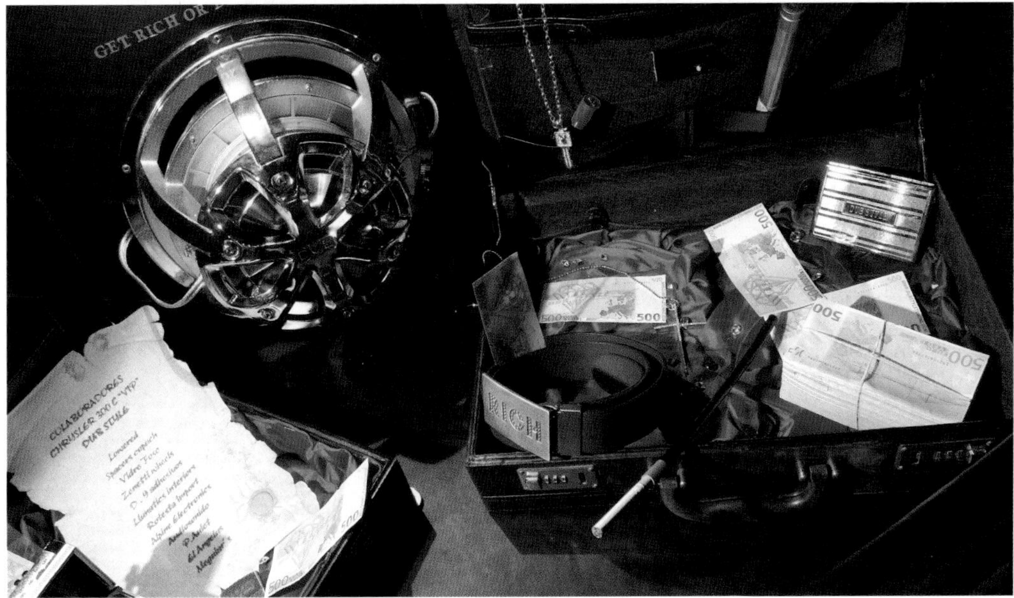

Premios conseguidos en las concentraciones guardado en un maletin mafioso... Se trata de uno de los atrezzo que estos preparadores montan en las sesiones fotográficas.

Awards received at the shows safeguarded in a Mafioso like briefcase...
Actually one of the props these tuning experts use for photographic sessions.

2604 DNB

DUB STYLE LUXURY CARS
Fotos / Photos: **Sergio Ross**

Este Seat León FR 1.9 TDI, cargado de sentimiento y toda la experiencia previa de haber trabajo con este modelo, salió con unos meses de diferencia, después del Chrysler 300C del capítulo anterior.
Carlos García, el propietario no tuvo reparos en dejarles firmar en el techo con la siguiente frase: "Reencarnación de un sentimiento".
Este coche se ganó el nombre de 'El Jefe' por todos los conocimientos que aportaba.

Exterior:
- Suspensión nuemática Lowered.
- Llantas TIS 05 de 20".
- Neumáticos Nankang 225/30 ZR 20.
- Kit de carrocería Seat León Cupra R.
- Alisado de portón y Molduras.
- Calandra delantera artesanal.
- Substitución de alerón por techo alargado en chapa.
- Capó alargado tipo "Bad Boy".
- Pilotos traseros "Red/Clear" tipo Led.
- Pintura negro mágico con blanco roto.
- Firmas en la carrocería.
- Escape oval.
- Icedoutemz acabado en diamantes en 20".
- Intermitentes laterales negros "black".

Interior:
- Tapizado completo en color burdeos y negro.
- Substitución de montantes manetas de techo.
- Retrovisor central en negro (kit de cupra R).
- Alfombras tipo diamante negro Ghirardi.

Audio:
- Kit de vias separadas Hertz HSK 165 delantera y traseras.
- Subwoofer de 12" Hertz de doble bobina.
- Amplificador Audison LRX 5.
- Fuente Monitos Pioneer X1.

This Seat León FR 1.9 TDI, full of emotion and all the past experience of having worked with this model appeared just a few months after the Chrysler 300C seen in the previous article.
The owner Carlos García had no qualms about having the following inscription on the roof: "Reencarnación de un sentimiento" (the reincarnation of an emotion). This car was awarded the name of the 'El Jefe' (the boss) for all the knowledge it has contributed.

Exterior:
- Lowered pneumatic suspension
- TIS 05 20" wheels
- Nankang 225/30 ZR 20 tyres
- Seat León Cupra R bodywork kit
- Frames and tailgate smoothed.
- Customized radiator grille.
- Spoiler replaced by roof extension.
- Bonnet extended "Bad Boy" style.
- "Red/Clear" led tail lights.
- Black magic paint with streaked white
- Firmas en la carrocería.
- Escape oval.
- Icedoutemz acabado en diamantes en 20".
- "Black" flashing side indicators.

Interior:
- Completely upholstered in burgundy and black
- Ceiling hand holds replaced
- Central rear-view mirror in black (by Cupra R).
- Black diamond rugs by Ghirardi.

Audio:
- Hertz HSK 165 two way front and rear speakers kit
- Hertz dual coil 12" Subwoofer
- Audison LRX 5 amplifier

n Pioneer X1 system display

Meguiar's
El Jefe

Meguiar's

Interiores en piel negra y burdeos

Car interior in black and burgundy leather

Firmas en la carrocería

Inscriptions on the bodywork

seatLEONAQUARIUM

DESIGN BY PACORRADO
Fotos / Photos: **Paco Rado y Santi Triviño**

Excelente trabajo de creatividad en este Seat León zaragozano.

La inspiración tiene mucho que ver con la Expo que se celebra durante el 2008 en la capital aragonesa y que está dedicada al agua. El propietario de éste vehículo es un gran amante de los peces y del estilo de vida califormiano, por lo que se optó por fundir todos estos elementos y buscar un diseño eminentemente único y espectacular.

Todas las peceras son independientes, cada una lleva su bomba de agua, bomba de aire y sistema de vaciado. Estan pensadas para poder llevar las traseras llenas en un 50% y poder transportar los peces durante los viajes en unas condiciones óptimas.

Los asientos delanteros fueron sustituidos por baquets con monitores en los respaldos. El asiento posterior se modificó para dar cabida a la pecera central, donde conviven dos hermosas morenas.
El techo se adaptó para colocar el tablero de los interruptores extras y canalizar el agua de la cascada. Dentro de todos los estanques, hay minicámaras de video seleccionables mediante mando a distancia, que emiten a través de los monitores de los respaldos de los asientos delanteros.

El salpicadero se tuvo que desmontar totalmente para instalar dos monitores, dos altavoces, y, desplazar todo el cuadro de mandos al centro.

En el maletero se hicieron dos peceras laterales y una central con un monitor de 10” que recoge la cascada que viene desde el techo. Alrededor del subwoofer hay un lago por el que nadan los peces. Debajo de todo este espectacular montaje, estan las etapas de sonido, las bombas de agua y aire, el sistema de suspensión neumática, etc...

Completa el trabajo el equipo de audio, y multimedia, compuesto de 17 altavoces, 4 etapas, 5 monitores, 1 minicamara, una playstation y una fuente DVD. La iluminación está formada por 12 focos halógenos independientes y controlados por mando a distancia; y un sinfín de leds de varios colores

An excellent piece of creative work displayed by this Seat León from Zaragoza.

Inspiration has a great deal to do with Expo, to be held in the Aragonese capital in 2008 and dedicated to water. The owner of this vehicle is a great fish, and Californian lifestyle lover, the reason for which he choose to combine all these elements in search of an eminently unique and spectacular design.

All the fish tanks are independent, each one with its own water pump, air pump and drainage system. The intention is to be able to carry the back 50% full and to be able to transport the fish during trips in optimum conditions.

The front seats have been replaced by bucket seats with monitors in the backs. The rear seat has been modified to make room for the central fish tank, home of the beautiful moray eels.
The roof has been customized to accommodate the extra switchboard and to be able to channel the water for the cascade. All of the tanks are equipped with remote controlled mini video cameras which then transmit through the screens on back of the front seats.

The dashboard had to be removed completely to install two screens, two speakers and move all the dashboard controls into the centre.

The boot has been fitted out with a fish tank on each side and one in the centre with a 10" monitor showing the water cascading from the roof. Fishes swim in a lake around the subwoofers. Beneath this spectacular creation are the sound amplifiers, water and air pumps, pneumatic suspension, etc...

The audio and multimedia systems are comprised of 17 speakers, 4 amplifiers, 5 monitors, 1 mini-camera, a Playstation and a DVD system. The lighting system comprises 12 independent halogen spotlights, remote controlled, and an endless array of multi-coloured led lights.

Aspecto del interior delantero del vehículo, con el cuadro de mandos eliminado de su posición original.

View of the front inside of the vehicle with the dashboard removed from its original position.

Habitáculo trasero con la pecera central, donde residen las morenas. En el techo, esta el depósito de agua que alimenta la cascada.

Inside showing the central fish tank in the back, home to the moray eels. The water tank to feed the water cascade is on the roof.

En el monitor se pueden ver las evoluciones de los pececitos.

The little fish can be seen as they develop on the screen.

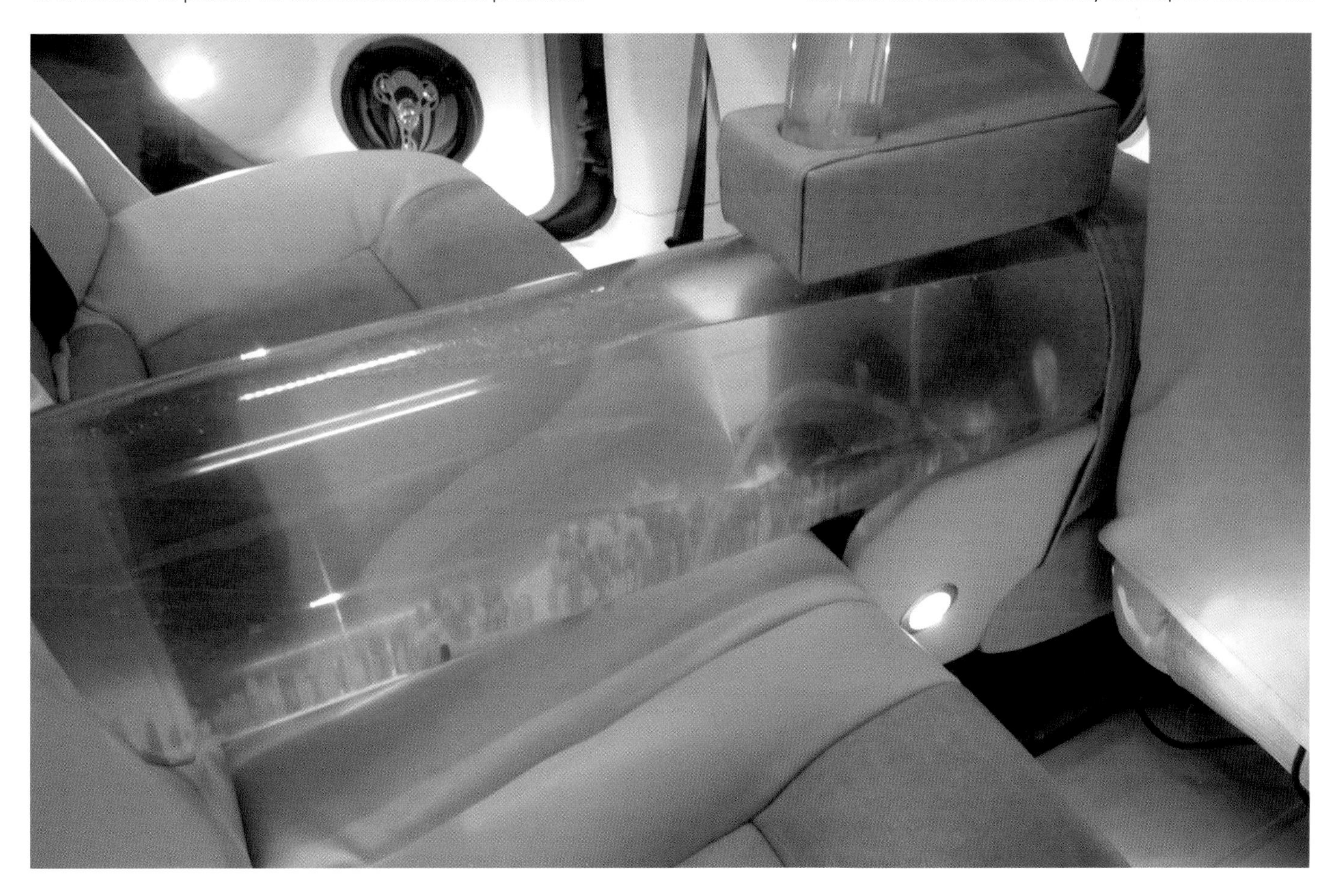

400W
Design by
PACORRADO

Design by PACORRADO
9407 CRY

40
E
6361 CYC

REBECA LARROSA TRICAS
Fotos / Photos: **José Martínez, Núria Moreno y Santi Triviño**

Motor: 1.900 120cv

Chasis:
- Llantas- Oxigin comadas 18.
- Neumaticos- 225/40/18.
- Suspension neumatica Dr. Rai

Exterior:
- Paragolpes delantero-pam "vampire".
- Taloneras Carzone.
- Paragolpes trasero- carzone modificado artesanal.
- Aleron Carzone.
- Faros traseros Lexus.
- Salida de escape doble.
- Pintura: Show car

Interior:
- Pedales Conrero.
- Pomo de cambio Issota.
- Volante Issota.
- Neones, flases.
- Todo tapizado en blanco y azul como el exterior.
- Cambiadas las esferas.
- Tapizado: Top 10 Interior

Audio:
- Fuente- radio cd pantalla alpine.
- Altavoces delanteros- Coral.
- Altavoces traseros- via separada de Coral.
- Etapa alpine.
- Subwoofer- dos doces rockford punch.
- Capacitador.

Engine: 1.900 120 HP

Chassis:
- Oxigin 18"chromed wheels.
- Tyres 225/40/18.
- Dr. Rai pneumatic suspension

Exterior:
- Pam "vampire" style front bumper.
- Carzone side skirts.
- Carzone custom-made rear bumpers.
- Carzone spoiler.
- Lexus rear lights.
- Twin exhaust pipe.
- Paint: Show car.

Interior:
- Conrero pedals.
- Issota gear knob.
- Issota steering wheel.
- Flashing neon lighting.
- Upholstery all in white and blue to match the car exterior,
- Spheres changes .
- Upholstery at Top 10 Interior.

Audio:
- System- Alpine radio, CD player, screen.
- Coral front speakers.
- Rear speakers - Coral woofer.
- Alpine amplifier.
- Rockford Punch subwoofer- two twelves.
- Capacitor.

6361 CYC

El interior del maletero, mantiene la estética y combinación de colores turquesa y blanco, tanto del habitáculo como de la carrocería

Inside the boot maintains the style and turquoise blue and white colour combination as both the car interior and the bodywork.

peugeot206WILDWEST

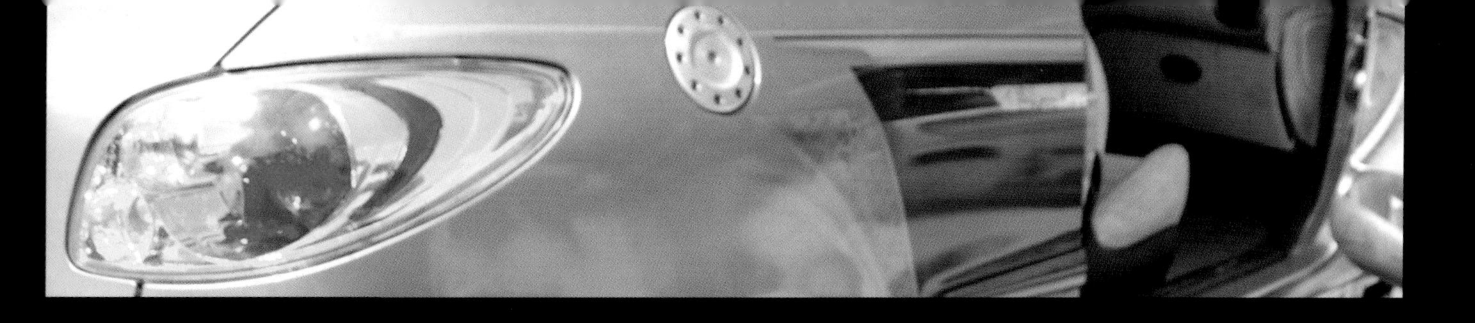

NILINWEB
Fotos / Photos: **Dani Díaz**

Dani Díaz, es un joven mallorquín apasionado del tuning, Empezó como piloto en el campeonato de scooters, pintando y modificando las motos, hasta que una desgraciada lesión le hizo abandonar la competición y se adentró en la personalización de coches. Dani Díaz es el alma mater de una de las empresas punteras y con más proyección en el tuning, Nilinweb.

En este coche inspirado en el lejano oeste, se invirtieron más de 150 horas, únicamente para modificar carrocería y pintura.

Exterior:
- Paragolpes delantero adaptado de peugeot 206 CC.
- Paragolpes trasero de serie y modificado.
- Laterales de Fiat Punto.
- La aleta izquierda delantera se ha modificado para guardar en su interior una botella de whisky, para lo que se llevó a cabo un estudio de visagras hasta conseguir la medida exacta para su fabriación artesanal.
- Llantas de 18 pulgadas con un tratamiento de laca en oro.
- Pintura especial; Dorada con un acabado nacarado que da un reflejo muy llamativo. Una mezcla de marrón con pan de oro en los laterales hacen que este peugeot sea único.

Interior:
- Tapizado en piel, tipo Iguana en color beige y saco.
- Revólver adaptado en la palanca de cambios.
- Soga en el salpicadero.
- Pedales caracterizados con naipes.
- Aerografía con motivos del viejo oeste.

Dani Díaz is a young Majorcan with a passion for tuning. He began as a rider in scooter championships, painting and customising motorbikes and the like, until such time as he had to give up riding due to an unfortunate injury and entered the custom car world. Díaz is the driving force behind one of the leading and most remarkable tuning businesses, Nilinweb.

Inspired by the Wild West, more then 150 hours work went into tuning the bodywork and paintwork alone.

Exterior:
- Peugeot 206 CC front bumpers.
- Standard Rear bumpers customised.
- Fiat Punto side panels.
- The front left wing has been customised to store a bottle of whisky on the inside, which involved making a study of hinges until exactly the right measurement was obtained for this to be custom made.
- 18 inch wheels varnished in gold.
- Special paintwork: Gold with a highly reflective pearly finish. A combination of brown with gold leaf on the side panels gives this Peugeot a unique appearance.

Interior:
- Upholstered in beige Iguana leather and sackcloth.
- Gear stick with revolver handle.
- Noose on the dashboard.
- Pedals decorated with playing cards.
- Airbrush graphics depicting the old Wild West.

4655 DDT

4655 DDT

Los pedales se han cubierto con naipes.

The pedals have been covered in playing cards.

bmw318ISGUANTANAMO

NILINWEB
Fotos / Photos: **Dani Díaz**

BWM llamativo por sus colores atractivos.
Está considerado un TOP 50 en España.

Exterior:
- Paragolpes delantero adaptados de VW Golf IV, modelo Rieguer.
- Paragolpes trasero agresive unido a los cuatro pasos de rueda artesanales con un ensanche de 12 centimetros delante y quince detrás.
- Taloneras de BMW M3 modificadas y unidas a la carrocería..
- Faros delanteros modificados de BMVW y forrados por dentro con dólares.
- Llantas: Ekken de 17 pulgadas Shadow Black y neumáticos 225/40/17 delante y 245/40/17 detrás.
- Suspensión neumática independiente delantera y trasera, por Xavier Gil de Lowered.
- Pintura: Más de 15 horas de trabajo para pintar y aerografiar. Más de 7 colores candy y cuatro manos de laca.

Interior:
- Tapizado en piel roja y negra con asientos deportivos de Eurolineas.
- Maletero de estética de leopardo.

Audio:
- Radio DVD Pioneer táctil con pantalla de DVD.
- 2 Amplificadores Alphasonic de 1500 w.
- 2 Subwoofers de 800 rms.
- Capacitador de 1.3 faradios.

Flashy BMW in striking colours.
Considered to be one of Spain's TOP 50.

Exterior:
- Front bumpers adapted to VW Golf IV, model Rieguer.
- Aggressive rear bumpers attached to the four traditional wheel arches, those at the front widened to 12 centimetres at the rear ones to 15 centimetres.
- BMW M3 custom made side skirts attached to the body work.
- Headlights modified to BMVW and covered hit dollars on the inside.
- Wheels: Ekken 17 inch Shadow Black with front tyres 225/40/17 and back tyres 245/40/17.
- Independent pneumatic suspension front and rear, by Xavier Gil from Lowered.
- Paintwork: More than 15 hours work in painting and airbrushing. More than 7 candy colours and four coats of varnish.

Interior:
- Upholstery in red and black leather with rally seats by Eurolineas.
- Leopard look boot.

Audio:
- Pioneer Touchscreen Radio DVD .
- 2 Alphasonic 1500 w amplifiers.
- 2 Subwoofers 800 rms.
- Capacitator 1.3 farad.

El equipo de música perfectamente integrado en la decoración del maletero. Abajo, la suspensión Lowered.

The sound system perfectly integrated with the customised boot décor. Below, the Lowered suspension.

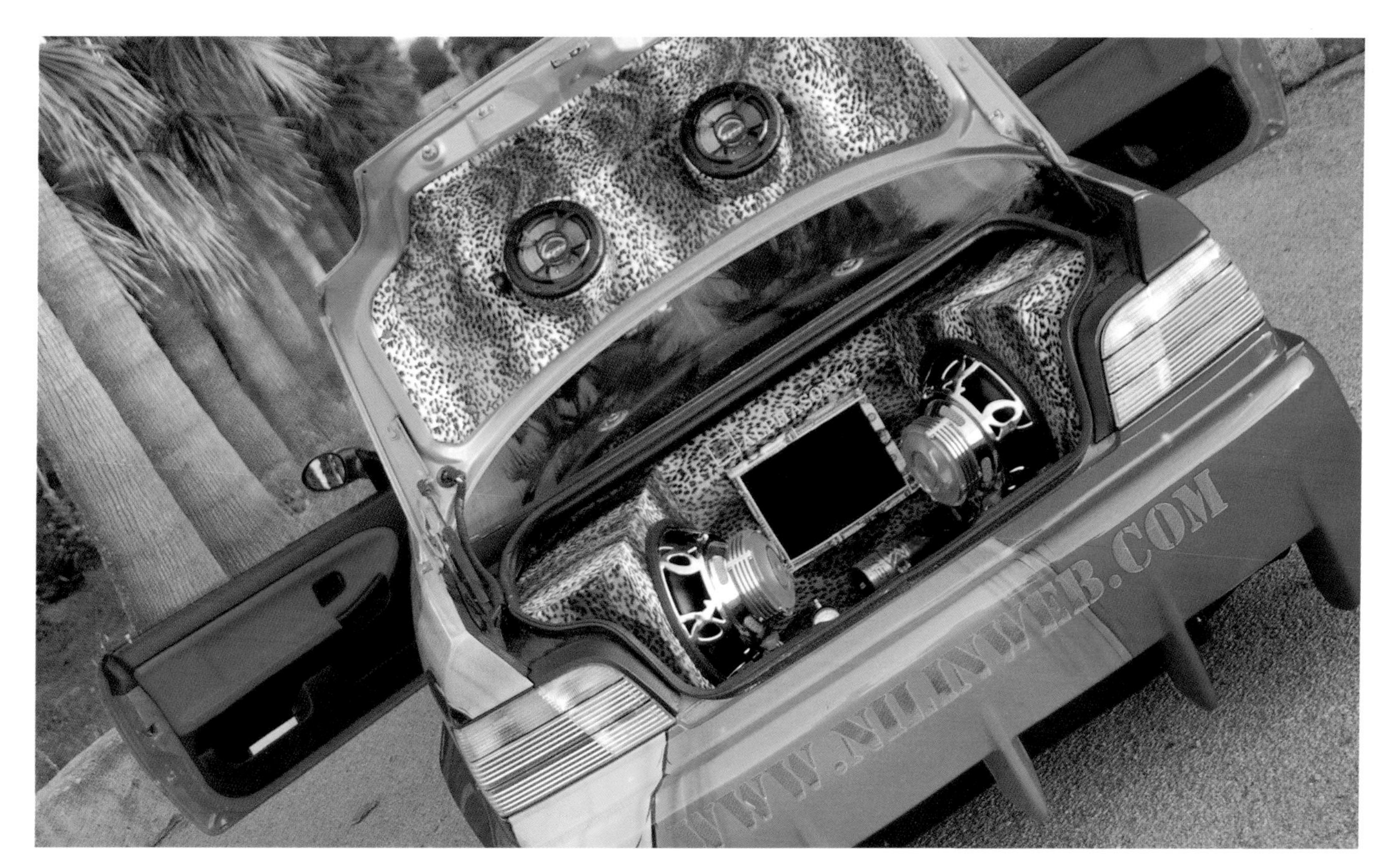

peugeot206NILINWEB

NILINWEB
Fotos / Photos: **Dani Díaz**

Otro de los coches preparados por Dani Díaz de Nilinweb, en un año y medio aproximadamente.

Exterior:
- Paragolpes delantero ICC.
- Paragolpes trasero de PAM tipo Cupra.
- Taloneras de Sparco en ABS.
- Faros delanteros de fondo negro y de leds los traseros.
- Pintura llamativa y elegante, combinando el granate lucifer y el beige nacarado.
- Amortigüación regulable en dureza y altura.
- Llantas de 18 pulgadas Rotesta cromadas de 215/35/18.

Interior:
- Trabajado y pintado en color champagne y los asientos tapizados en piel beige.
- Pequeños toques de aerografía.
- Volante custom de importación.
- Pomo artesanal con una bola de billar.

Audio:
- Subgraves de 500 rms Audiobahn..
- Amplificadores de 1000 w.
- Fuente JVC.

Another of the cars tuned by Dani Díaz from Nilinweb, a process which took approximately a year and a half.

Exterior:
- ICC front bumpers.
- Cupra rear bumpers by PAM.
- Side skirts by Sparco in ABS.
- Headlights with black background and rear led lights.
- Elegant and flamboyant paintwork combining sparkling garnet and pearly beige.
- Height and force adjustable shock absorbers.
- Rotesta 18 inch chrome wheels 215/35/18.

Interior:
- Tastefully though out and painted in champagne hit beige leather upholstery.
- Little touches of airbrushing.
- Imported custom-made steering wheel.
- Original gear knob with a billiard ball.

Audio:
- Audiobahn Subwoofer 500 rms.
- Amplifiers 1000 w.
- JVC sound system.

5082 CGD

DUB
Your Game is My Life

personalizacion
SPLINTEX

Inscripción en el techo, y sustitución del león del logotipo de Peugeot por la bola negra del billar.

The roof displays an inscription and the Peugeot lion logo has been replaced by a black billiard ball.

Aerografías alegóricas del mundo del juego, marcan la filosofía del diseño del coche.

Allegorical airbrushed graphics from the gambling world illustrate the philosophy behind the design of this car.

El interior de estilo chicano del peugeot Nilinweb está forrado con imitacion de piel de tigre y de leopardo en el maletero.

This Peugeot's Mexican-American style interiors from Nilinweb are covered in imitation tiger skin and the boot in leopard skin.

9274 DKD
THE ART OF MODIFICATION
Z 5973 BN
racing
CARFAR

C.D. DESIGN
Ultimate
Z·6666·BL
C.D. DESIGN
C.D. DESIGN
WWW.C-D-DESIGN.ES
Ultimate

CAR ART

"AEROGRAFÍA" una técnica que esta entre nosotros hace mas de cien años, pero no se da a conocer hasta 1893 de manos de Charles Burdick en Chicago.
Su principal función en aquellos tiempos y durante unos cuantos años era el retoque fotográfico porque por sus características se podía conseguir dar tonos de color y degradar sin necesidad de tocar el soporte a trabajar y con acabados imposibles de conseguir con otras herramientas y técnicas.
A lo largo de los años, la aerografía ha tenido una gran repercusion en nuestro entorno, una herramienta muy útil en el diseño gráfico, cartelería de cine, publicidad, etiquetas de comestibles, medicina, etc...

Hoy en día ha evolucionado hasta el punto de ser utilizada en la decoración de vehículos... una forma de vida; camiones, coches, motos y todo tipo de soportes con artistas que se esmeran al máximo para conseguir la mejor personificación en cada uno de sus trabajos, una batalla constante de obras de arte sobre ruedas para nuestro deleite y satisfacción.

"AIRBRUSHING" is a technique which has been with us now for more than a hundred years but wasn't made known to us until 1893 at the hands of Chicago man Charles Burdick.
It was mainly used at that time and for many years to come for photograph retouching since with airbrushing it was possible to achieve and blend colour tones without the need to touch on the sort of work involved and with results impossible to obtain by using any other tools or techniques.
Over the years airbrushing has had a great impact on our environment, proving to be a very useful tool when it comes to graphic design, cinema hoardings, publicity, labels for food, medicines, etc...

Now it has progressed to the point of being used to decorate vehicles... a way of life; lorries, cars, motorbikes and all types of publicity with artists who take great pains to achieve the finest personification in every piece of work, a constant battle when it comes to these works of art on wheels which are purely for our delight and satisfaction.

Paso a paso

Manu Rodríguez, reconocido artista aerógrafo y asesor de IWATA en España, en colaboración con AEROGRAFIA.CAT y TALLER POWER-CAR, nos propone un paso a paso en la creación de un diseño sobre plancha, en lo que podría haber sido la portada del libro que tienes en tus manos.

Step by step

Manu Rodríguez, a well known airbrush artist and member of IWATA in Spain, in collaboration with AEROGRAFIA.CAT and TALLER POWER-CAR, proposed the step by step creation of a design on an ironplate, which could have been the cover of the book you have in your hands.

1. Diseño definitivo, tras realizar varios bocetos y descartar la mayoría.

1. Definitive design, but only after making numerous sketches of which most are discarded.

2. Matización de la superficie con una esponja especial.

2. Blending the surface by using a special sponge.

3. Una vez limpia la superficie, se coloca una cinta especial AUTO-AIR de 25 cm de ancho para repasar el dibujo.

3. Once the surface has been cleaned, a special AUTO-AIR 25 cm film is put in place to go over the design.

4. Antes de empezar se preparan los aerógrafos. Es preferible tener varios para agilizar el trabajo; un ECLIPSE-BCS para los fondos y los colores; un HP-C PLUS para el blanco y un HP-CH; todos ellos de IWATA.

4. The airbrushes are prepared ready for use. Having a number of different airbrushes helps to speed up the work, an ECLIPSE-BCS for the backgrounds and colours, an HP-C PLUS for white and an HP-CH, all by IWATA.

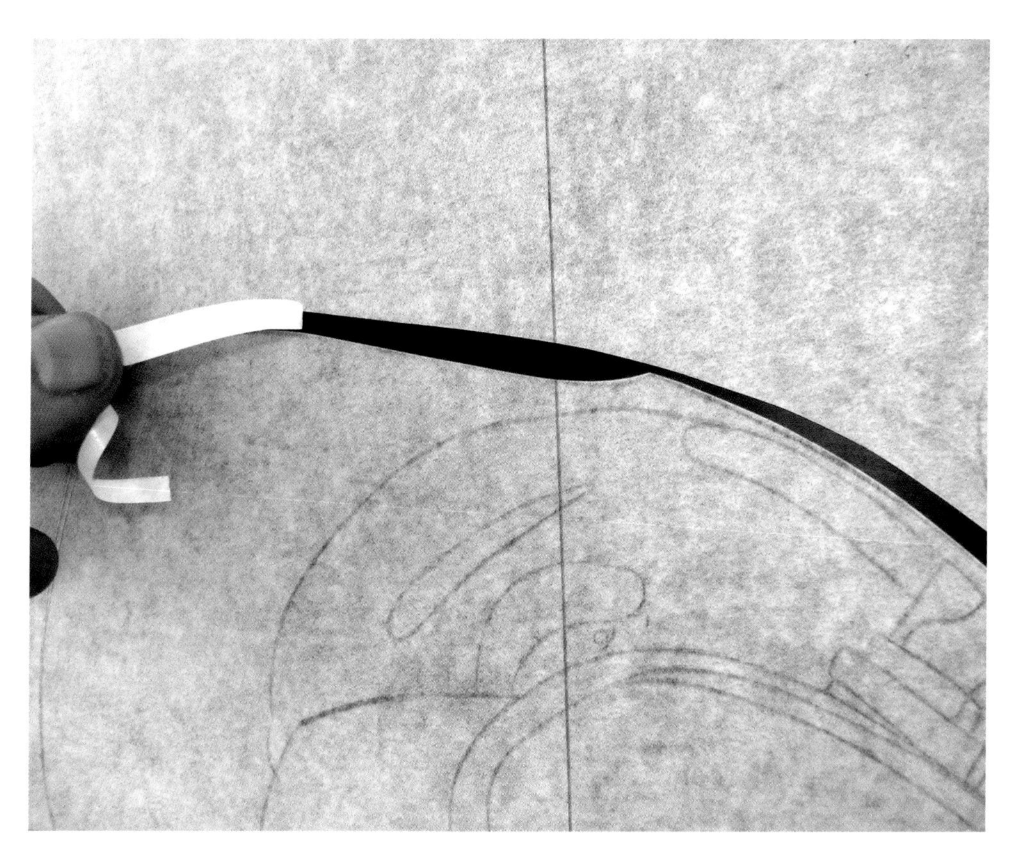

5. Con mucho cuidado, se corta con un bisturí la cinta para ir destapando las zonas a pintar.

5. With a great deal of precision, the film is cut with a blade to uncover the different areas for painting.

6. Detalles de zonas descubiertas.

6. Details of the uncovered areas.

7. Blanco transparente AUTO-AIR, diluido con color 4011.

7. AUTO-AIR transparent white, thinned with the colour 4011.

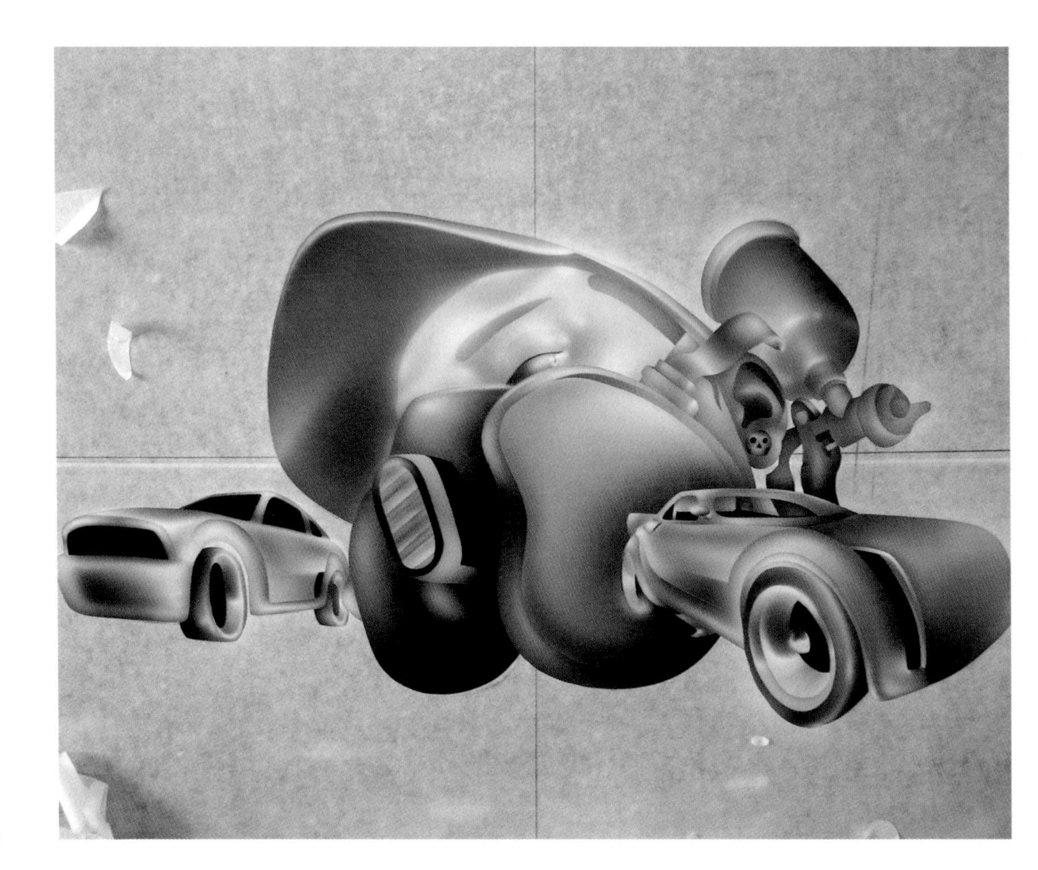

8. Dibujo finalizado en blancos.

8. Design finished in various whites.

9. Se detalla con negro transparente y con color 4011 las zonas oscuras del dibujo.

9. The dark areas on the design feature transparent black and 4011 paint.

10. Dibujo concluido en escala de grises.

10. Finished design in shades of grey.

11. Se quita toda la cinta.

11. Seen with the entire film removed.

12. Se repasan ciertos detalles en blanco y se crea la esencia del fuego.

12. Certain details are touched up in white and the fire effect is created.

13. Aplicación de una capa suave de CANDY BRITE RED.

13. A fine coat CANDY BRITE RED is applied.

14. Se refuerza con negro y un poco de amarillo.

14. Touches of black and yellow are added.

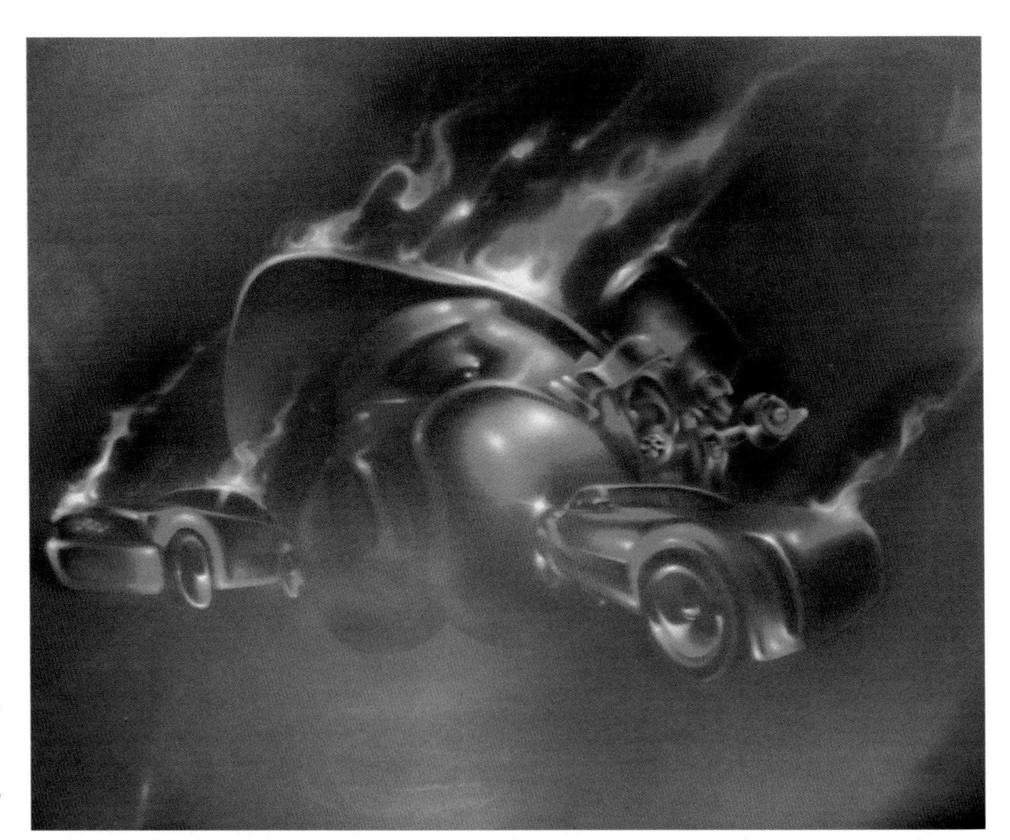

15. Los puntos más fuertes de luz se marcan tambien con amarillo.

15. The brightest light points are also highlighted in yellow.

16. Antes de barnizar, se añaden unos toques de blanco y unas gotas de color amarillo.

16. Before glazing, a final is added with touches of white and spots of yellow.

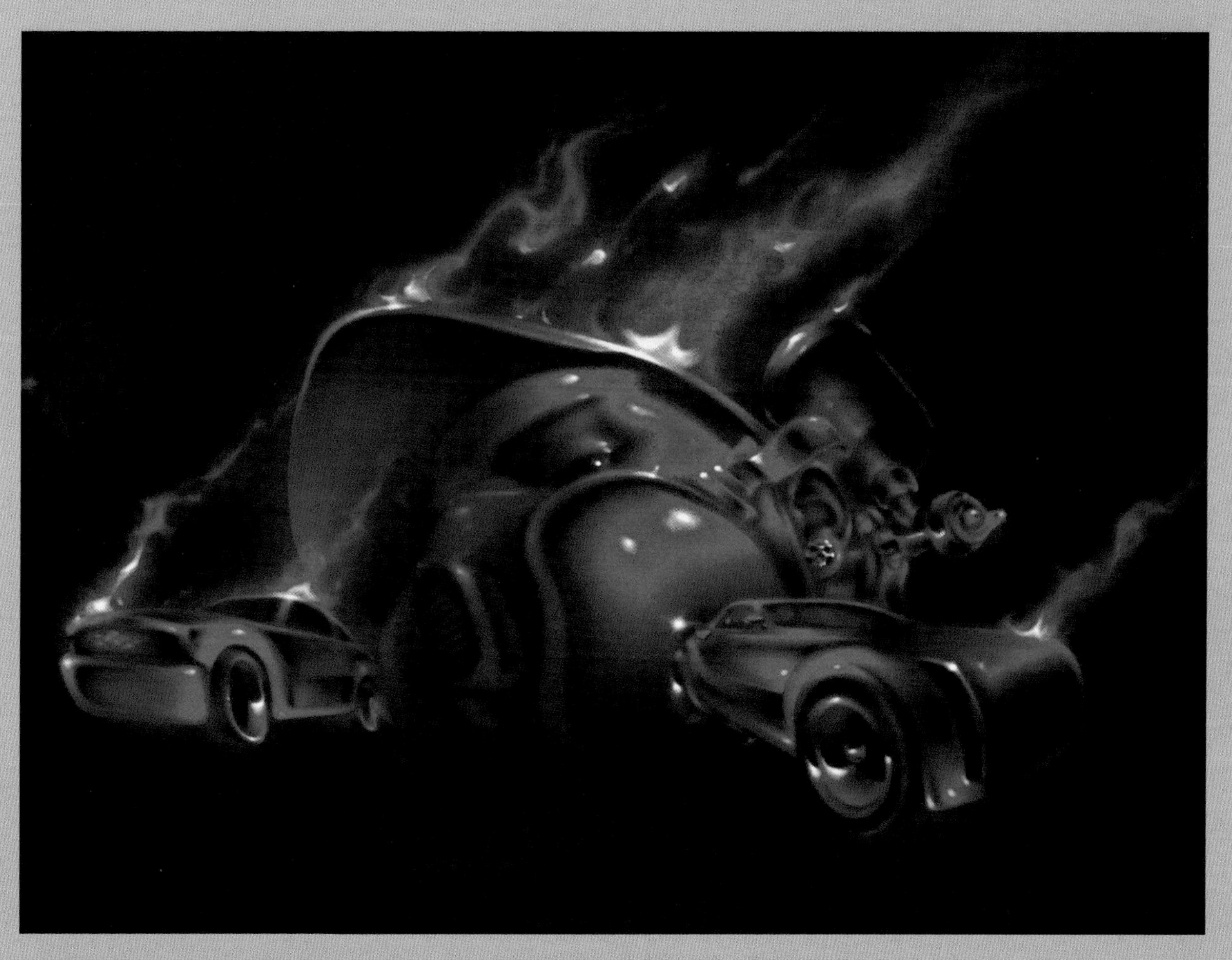

17. Con el barnizado especial los colores ganan en intensidad.

17. With the special glaze used the colours become even more intense.

PERSONAJES CHARACTERS

polynesian concept

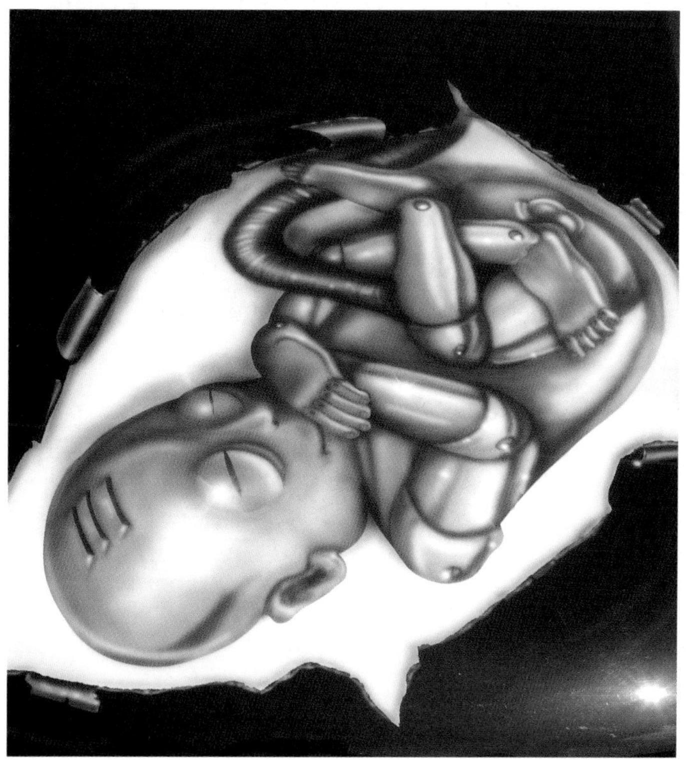

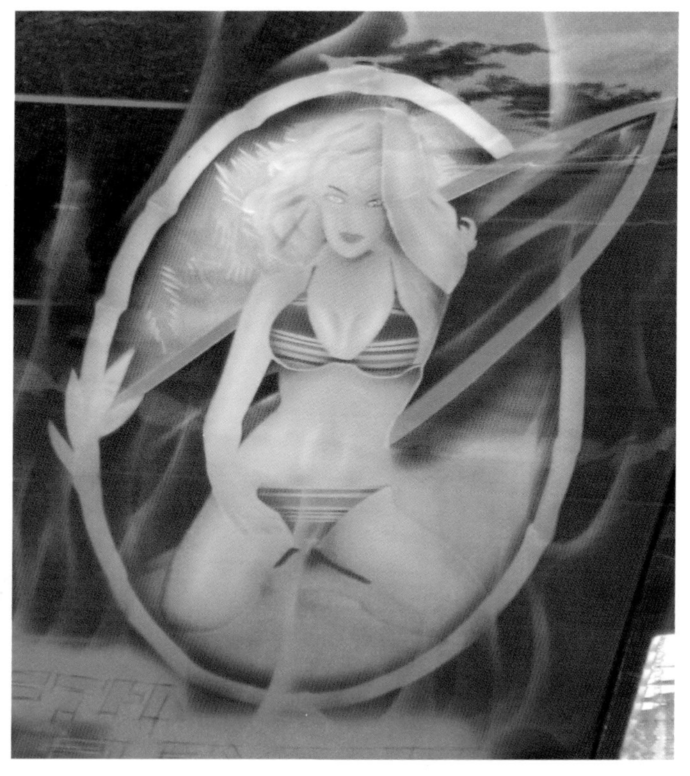

Dough Boy
CUSTOMS
.COM

FLORES

FLOWERS

Caza Fighter

SPIDERMAN

SPIDERMAN

COMPLETO

FULL

sparco

JUEGOS GAMES

Your Game
is My Life

PINSTRIPING

Nací en 1975 en Abruzzo, una región del centro de Italia junto al Mar Adriático. Vivo y trabajo en Milán (Norte de Italia) desde 1996 como infografista en una empresa de postproducción para publicidad y cine. Muchas pasiones han llenado mi vida, recientemente la pintura con pinstriping.
Empecé en esto por pura casualidad, siempre me han gustado las motos y la Kustom Kultur, con sus hermosos Hot-Rods y las guapas Pin-Ups, embrujado por esas hermosas líneas dibujadas en depósitos y capós que aparecían publicados en revistas italianas y americanas. Yo también quería pintar con esa peculiar brocha, y empecé a hacerlo con pasión. A finales de 2004 compré por Internet mi primera brocha y así llegó mi primera prueba, el principio de este nuevo desafío.
Para mi el pinstriping es el resultado de la precisión y el toque artístico, la inspiración es muy importante y practicar, practicar, practicar es la clave para conocer la brocha y tu propio ojo artístico. Nunca acabo de aprender.
Hago todos los trabajos por instinto. El pinstriping es un momento mágico en el que cada línea es hecha con libertad. Tengo varios pinceles Mack. Utilizo esmaltes sintéticos, reductor para permitir que la pintura se pueda extender mejor y para limpiar el instrumental al final del trabajo.
Conocí a Ettore "Captain Blaster" Callegaro (uno de los pinstripers más importantes de Italia) en una exhibición de bicicletas en Italia, y me dio algunos consejos. es mi inspiración. Es un hombre extraordinario.
Es importante comprender que la verdadera filosofía del pinstriping es ser obstinado, modesto y sentir respeto por cada objeto que vive con este arte. Me gusta pintarlo todo, escoger la combinación de colores adecuada, ¡y seguiré expresándome con la misma pasión de la primera vez! :-) ¡Viva Kustom Kulture!

PINSTRIPING

I was born on 1975 in Abruzzo, a region of Center Italy on the Adriatic Sea. I live and work in Milan (North Italy) from 1996 as CG Artist in a post-production society for advertising and cinema. A lot of passions filled my life, recently... pinstriping.
I began for pure case. I have always loved motorcycles and Kustom Kulture, with its cool Hot-Rods and beautiful Pin-Ups, bewitched by those wonderful lines drawn on tanks and hoods, published in italian and american magazines. I wanted to paint with that strange brush too, and I began with passion. In the end of 2004 I bought by internet my first brush from America and my first test is arrived... the begin of this new challenge.
For me pinstriping is the result of precision and artistic touch, inspiration is very important and practice, practice, practice is the real key to have the right sensibility of brush and of your eye. I've never finished to learn.
All works are realized by instinct. Pinstriping is for me a magic moment where each line of paint is made by freehand, so one of a kind. I got different Mack striping brushes. I use synthetic enamels, reducer to allow better flow during paint paletting and to clean the brush at the end of work.
I met Ettore "Captain Blaster" Callegaro (one of the most great italian pinstriper) during an italian bike-show and he gave to me some advise about it. He's'my inspiration. It's an extraordinary man.
It's important to understand the real philosophy of pinstriping.
Being stubborn, modest and having respect for each object that lives with this old-school art.
I like painting everything, choosing the right color combination, and I'll continue to express myself with the same passion of my first time! ;-) Kustom Kulture Lives!

Andrea 'Explo' Sabatini

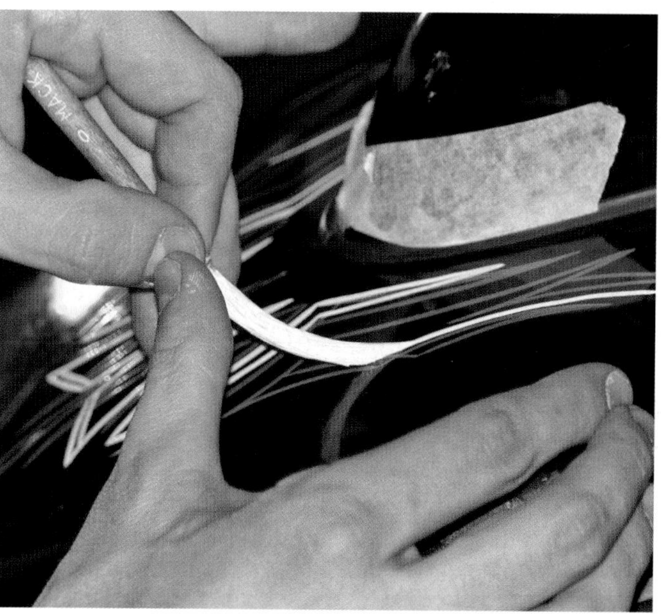

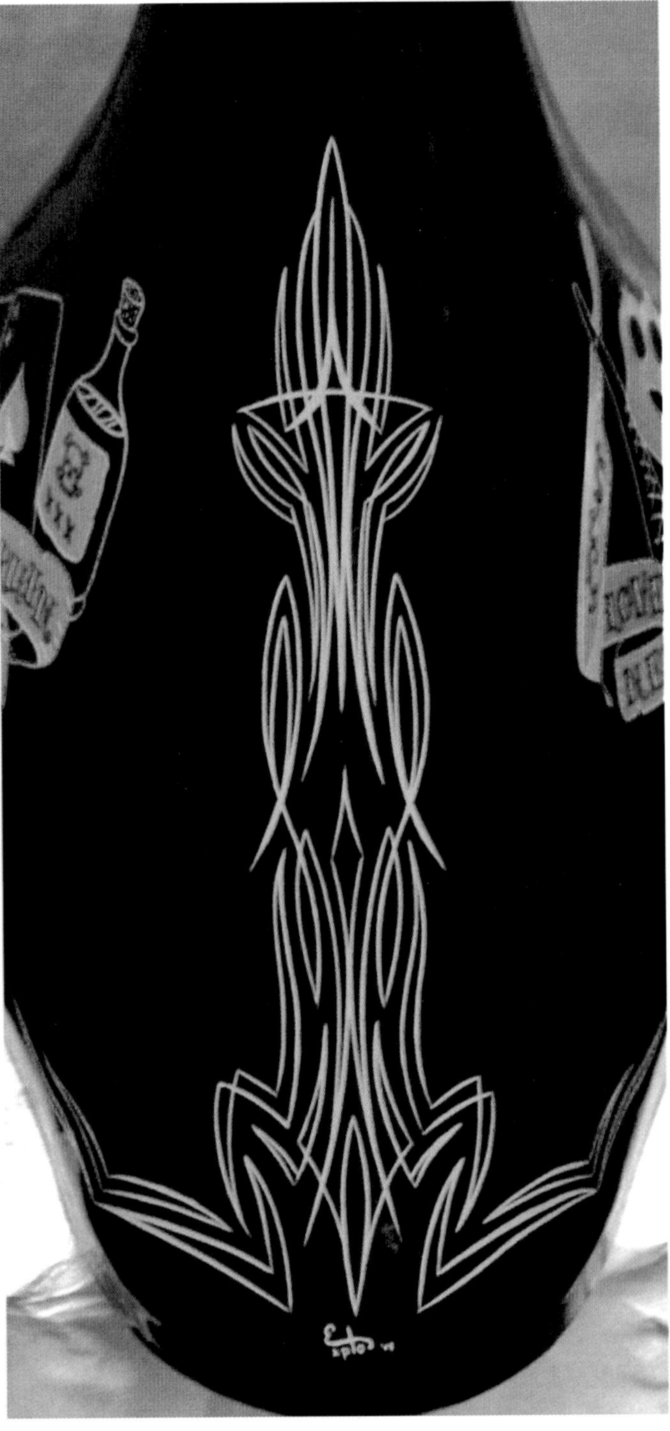

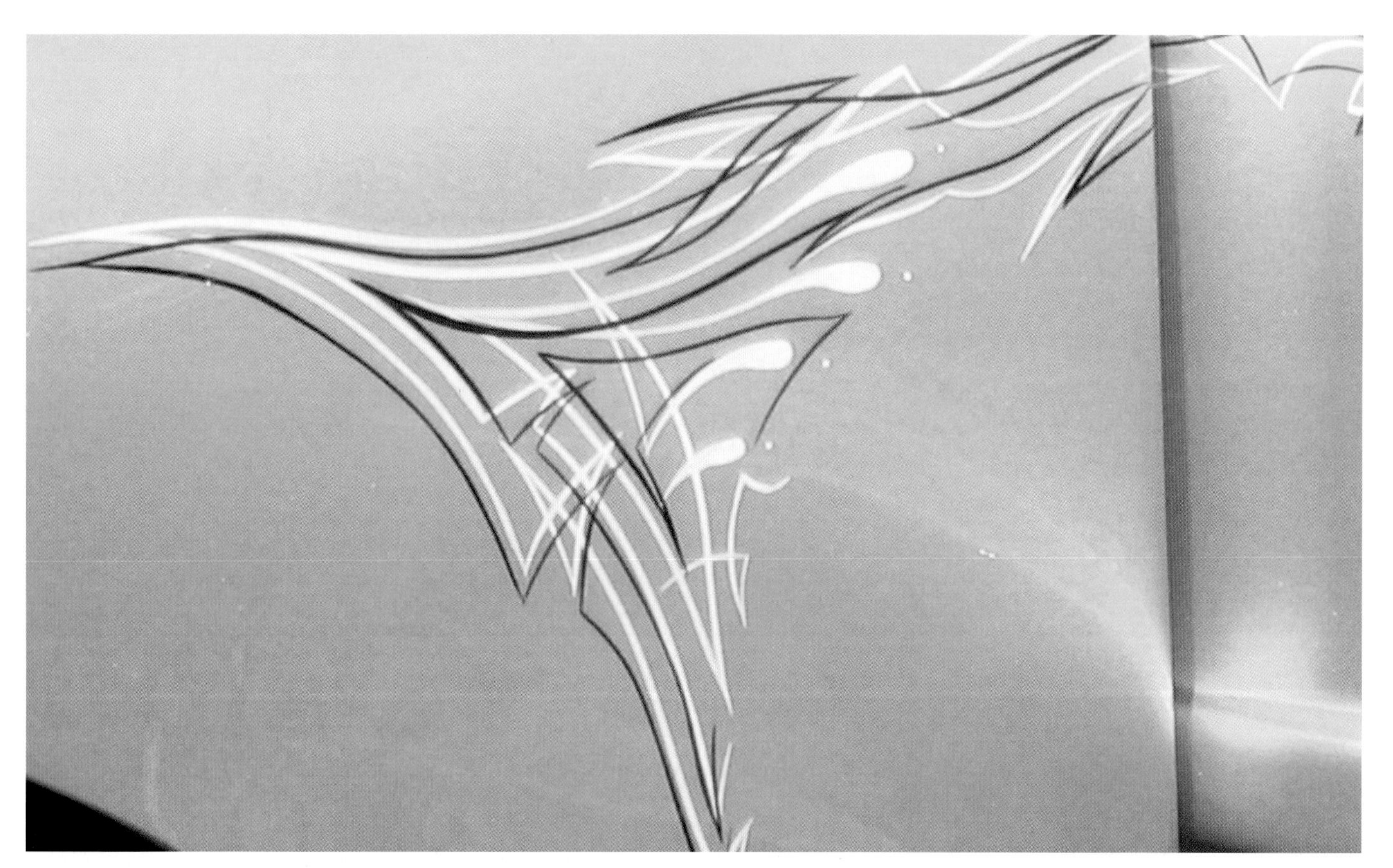

B-5013-HL

KSG
KSG
SEAT

SCHUSTER
0438 DGV
0438 DGV
2968 FCG
IB 2893 CJ
VADISA
KONI
LSD
momo
movistar
CIBIE

6132CNR
BRIGADA ANTI- DIESEL
B·8165·UK
BMC
TOP INTERIOR
CARBONO

TDI
GALAXY CARS

MOTORKRASH
MOTORKRASH

Uno de los elementos que destacan en cualquier concentración y ajeno a la personalización mecánica o visual del coche, és el de la puesta en escena para su exhibición tanto del espacio en donde esta situado, como de todos aquellos elementos decorativos que hacen que sea más divertida su presencia.

Alfombras de casi todos los colores se encuentran bajo los neumáticos del coche a modo de estrella *hollywoodiense*, rosas, rojas, amarillas, de camuflaje, de imitación piel de tigre, de paja, de algodón imitando el polo sur, pingüino incluido... es una manera de no ensuciarle las suelas...

Los peluches, esos animales tan simpáticos que encontramos en cualquier rincón del automóvil; en el motor, en el maletero, incrustado en el cristal, en el parabrisas, colgados de los subwoofers y moviéndose al ritmo de las ondas acústicas, calaveras intimidantes vigilándolo... Incluso hay quien se atreve a acotarlo con verjas, troncos de madera, redes, antorchas en las esquinas de su plaza para protegerlo de los espíritus...

One of the features which stands out at any custom car exhibition which is a long way off the mechanical and visual tuning of the cars is that of the staging of the scene itself not only in terms of the place in which it is to be held but also all the decorative elements designed to make the event all the more appealing.

Rugs in almost every colour imaginable are to be found, Hollywood style, beneath the car tyres, pinks, reds, yellows, camouflage, false tiger skin, in straw, in cotton in an imitation of the South Pole, penguin included ... a means of keeping the floors clean...

The cuddly toys, these loveable animals we find in every corner of the vehicle, on the engine, in the boot, inlaid in the glass, on the windscreen, hanging from the subwoofers and swinging in time to the acoustics rhythm, watched over by the intimidating skulls.... There are even those who dare to demarcate with grilles, wooden logs, nets, torches in the corner of their zone to protect them from the spirits...

JBL
Z
MAC

JBL

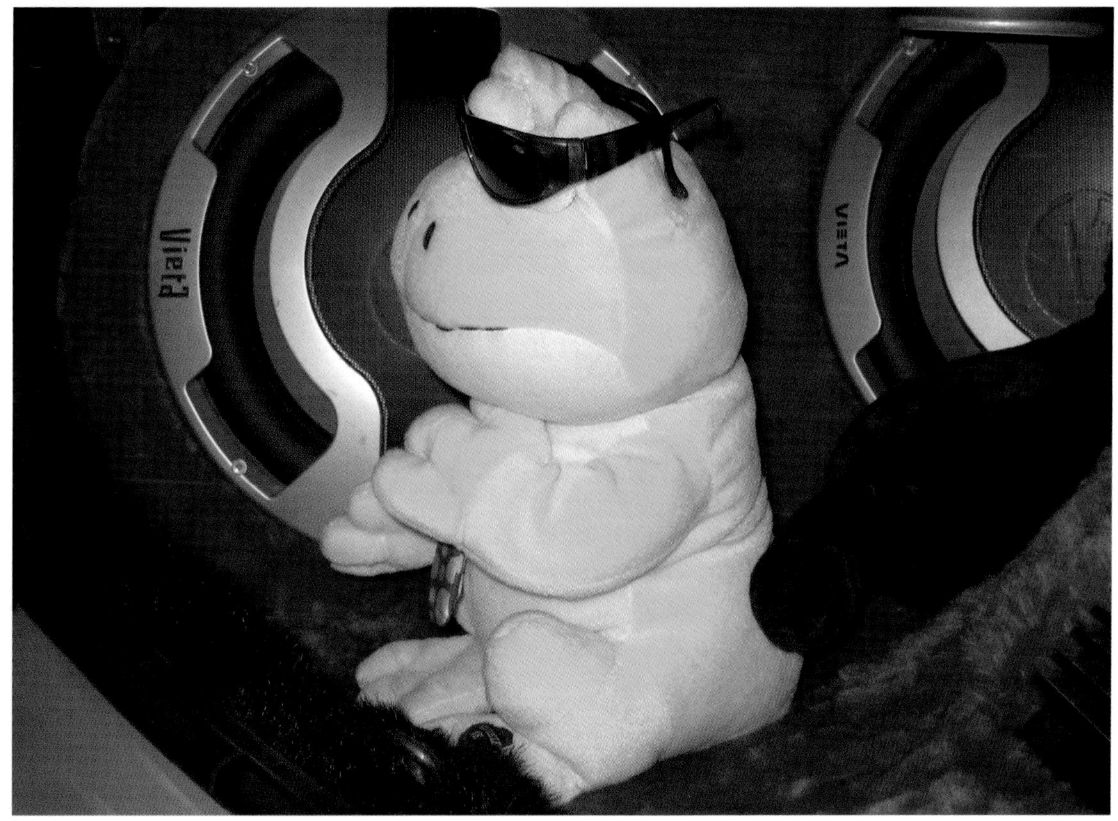

I Love
You

I Love
You

CONCENTRACION
Desert
Tuning
Show

GI 80718
CIBIE
CIBIE

Tuning Club
GReddy

Algunos convierten el pomo de la palanca del cambio de marchas en una pistola.

There are some who transform the gear lever knob into a pistol..

Replica en miniatura del coche original (abajo)

Miniature replica of the original car (below)

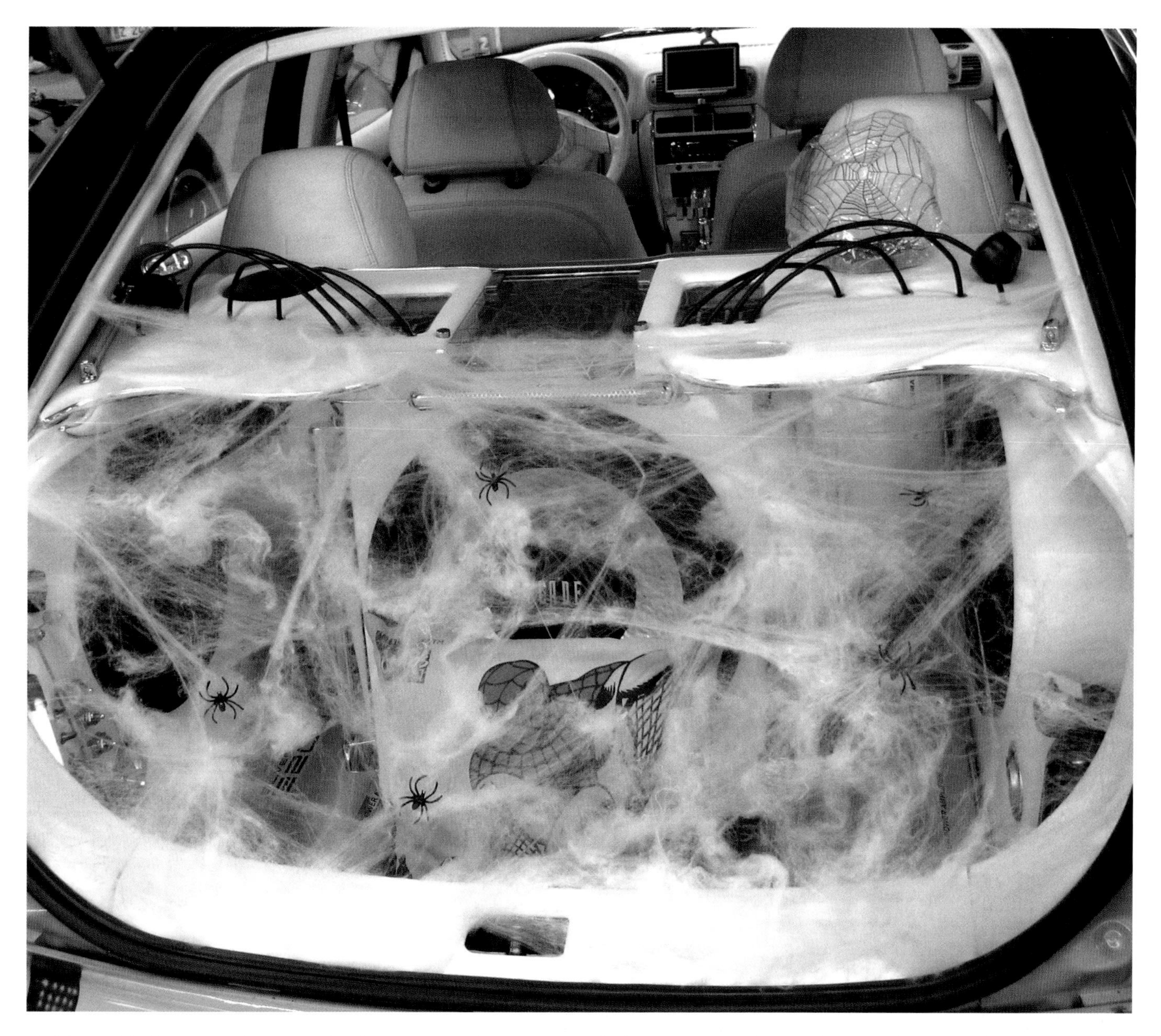

Maletero cubierto por una inmensa telaraña, en este coche monotemático de Spiderman

The boot on this Spiderman theme car is covered by an immense spider's web.

Las llantas de 20" con alfombra dorada.

20" wheels with a gold coloured rug.

A juego con la tapicería.

To match the upholstery.

Un cerco de bambú... A bamboo halo...

... o unas antorchas ... o unas antorchas

POLICE
NITRO
6361 CYC
B·5341·PV
6361 CYC
CC 8221 U

HOT GAME
ARIZONA
3VS-683
NEED FOR SPEED
CARBONO
KÖNIG
TOYO
VeilSide

AGRADECIMIENTOS

Durante este periodo de investigación he conocido a muchos 'tuneros'. ¡Gracias por atenderme!
Quiero agradecer especialmente a Manu Rodríguez (Barbie Car), Dani Navarro (Astra G), Manel Rabasa (300C y Leon 'jefe'), Pacorrado, (Leon 'Aquarium') y a 'otro' Manu Rodríguez (aerografía) por orientarme en sus temas. A Sergio Ross, (TUNERS), por la cesión de las imágenes de los reportajes de DUB Style Luxury Cars. A José Martínez 'Corso' de C4atreros.com por sus fotos y por su apoyo logístico en Galiexpo, así como a Javier Castellanos 'Javicaste', Alejandro Maestro 'Alexi0', Antonio J. Moya 'Rotry', Luis Belloso 'Astursevillano' y Francisco Vidal 'Afrodrestrus' por sus consejos y paciencia a todas mis preguntas. A Susana 'Sus' por su apoyo. A los organizadores de Motor Show Festival de Zaragoza, Galiexpo, Barcelona Tuning Show, Abrera, Benicarló, Blanes, Circuit de Catalunya y GTI por todas las facilidades recibidas. Y a Núria por su ayuda sin condiciones.

Si tienes algún comentario sobre el libro, criticas, felicitaciones, etc; o bien quieres que tú vehículo aparezca en próximas publicaciones, envíanos un e-mail a: tuning@monsa.com

ACKNOWLEDGMENTS

During this investigation period I became acquainted with many "tuners". I would just like to thank you for all your help and attention!
I would especially like to give thanks to Manu Rodríguez (Barbie Car), Dani Navarro (Astra G), Manel Rabasa (300C and Leon 'jefe'), Pacorrado (Leon 'Aquarium') and 'another' Manu Rodríguez (airbrush art) for giving me guidance me on their subjects. I would also like to thank Sergio Ross, (TUNERS), for the photographs for the features from DUB Style Luxury Cars. Also José Martínez 'Corso' from C4atreros.com for his photos and also for his logistic support in Galiexpo, as well as Javier Castellanos 'Javicaste', Alejandro Maestro 'Alexi0', Antonio J. Moya 'Rotry', Luis Belloso 'Astursevillano' and Francisco Vidal 'Afrodrestrus' for patiently answering all my questions. To Susana 'Sus' for her support. Also the organisers of Motor Show Festival of Zaragoza, Galiexpo, Barcelona Tuning Show, Abrera, Benicarló, Blanes, Circuit de Catalunya, and GTI for all the help received. And Núria for her unconditional assistance.

If you have any comments to make about this book, whether criticisms, congratulations, etc., or if you would like your own vehicle to appear in a forthcoming publication, please send an e-mail to: tuning@monsa.com